ESTAÇÃO CARANDIRU

DRAUZIO VARELLA

ESTAÇÃO CARANDIRU

9ª reimpressão

Copyright © 1999 by Drauzio Varella

Grafia atualizada segundo o Acordo Ortográfico da Língua Portuguesa de 1990, que entrou em vigor no Brasil em 2009.

Capa
Jeff Fisher

Preparação
Denise Pegorim

Revisão
Renato Potenza Rodrigues
Vivian Miwa Matsushita

Atualização ortográfica
Verba Editorial

Dados Internacionais de Catalogação na Publicação (CIP)
(Câmara Brasileira do Livro, SP, Brasil)

Varella, Drauzio, 1943-
　Estação Carandiru / Drauzio Varella. — 1ª ed. — São Paulo :
Companhia das Letras, 2005.

ISBN 978-85-359-0640-0

1. Penitenciária do Estado (São Paulo) 2. Prisioneiros — Cuidados médicos — São Paulo (Estado) I. Título.

05-2289　　　　　　　　　　　　　　　　　　　　　CDD-365.66

Índice para catálogo sistemático:
1. Prisioneiros : Assistência : Problemas sociais 365.66

2023

Todos os direitos desta edição reservados à
EDITORA SCHWARCZ S.A.
Rua Bandeira Paulista, 702, cj. 32
04532-002 — São Paulo — SP
Telefone: (11) 3707-3500
www.companhiadasletras.com.br
www.blogdacompanhia.com.br

SUMÁRIO

• Introdução 7 • Estação Carandiru 9 • O casarão 13 • Os pavilhões 15 • O barraco 28 • Sol e lua 34 • Fim de semana 40 • Visitas íntimas 47 • O baque 50 • No cinema 55 • Rita Cadillac 60 • Atropelo na Divineia 62 • Bem-vindo 65 • O impacto 67 • Biotônico Fontoura 70 • Leptospirose 74 • Anjos-demônios 77 • Os funcionários 82 • O rebanho 92 • Amarelo 95 • Tudo na colher 101 • Para derrubar a malandragem 103 • Na piolhagem 107 • Ócio 110 • Pena capital 113 • Laranja 116 • Sangue-bom 119 • Travestis 121 • Inocência 123 • Ricardão 124 • Quebra-Cabeça 128 • Santão 136 • Mulher, motel e gandaia 138 • Maria-Louca 143 • Miguel 146 • Um abraço 151 • Deusdete e Mané 156 • Amor de mãe 159 • Edelso 161 • Lula 164 • Margô Suely 168 • Seu Chico 170 • Cozinha Geral 172 • Reencontro 175 • Zé da Casa Verde 177 • Neguinho 181 • Manga 186 • Seu Jeremias 190 • Veronique, a Japonesa 194 • Nego-Preto 197 • Olho por olho 202 • Paixão arrebatadora 204 • Sem-Chance 209 • Seu Valdomiro 211 • O filho pródigo 214 • Aprendiz de feiticeiro 218 • O levante 219 • O ataque 223 • O rescaldo 226 • Sobre o autor 231

CASA DE DETENÇÃO

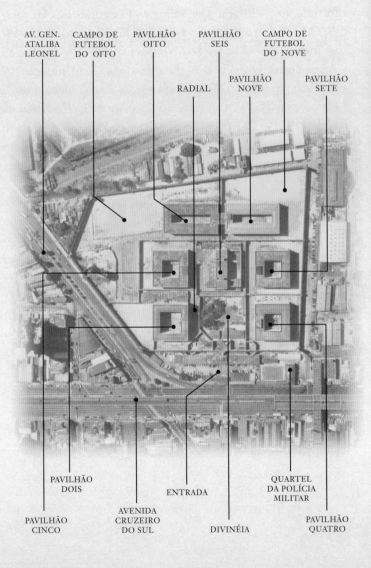

INTRODUÇÃO

Quando eu era pequeno, assistia eletrizado àqueles filmes de cadeia em branco e preto. Os prisioneiros vestiam uniforme e planejavam fugas de tirar o fôlego na cadeira do cinema.

Em 1989, vinte anos depois de formado médico cancerologista, fui gravar um vídeo sobre AIDS na enfermaria da Penitenciária do Estado, construção projetada pelo arquiteto Ramos de Azevedo nos anos 20, no complexo do Carandiru, em São Paulo. Quando entrei e a porta pesada bateu atrás de mim, senti um aperto na garganta igual ao das matinês do cine Rialto, no Brás.

Nas semanas que se seguiram, as imagens do presídio não me saíram da cabeça. Os presos na soleira das celas, o carcereiro com a barba por fazer, um PM de metralhadora distraído na muralha, ecos na galeria mal iluminada, o cheiro, a ginga da malandragem, tuberculose, caquexia, solidão e a figura calada do dr. Getúlio, meu ex-aluno no cursinho, que cuidava dos presos com AIDS.

Duas semanas depois, procurei o dr. Manoel Schechtman, responsável pelo departamento médico do sistema prisional, e me ofereci para fazer um trabalho voluntário de prevenção à AIDS. Na conversa, o dr. Manoel me explicou que a situação da epidemia na Penitenciária não era das piores se comparada à dos 7200 presos da Casa de Detenção, o maior presídio do país, situado no mesmo complexo, de frente para a movimentada avenida Cruzeiro do Sul, vizinho do metrô, a dez minutos da praça da Sé, quilômetro zero de São Paulo.

O trabalho começou em 1989 e dura até hoje. Com o apoio da Universidade Paulista/UNIP, uma instituição particular de São Paulo, fizemos pesquisas epidemiológicas sobre a prevalência do HIV, organizamos palestras, gravamos vídeos, editamos a revista em quadrinhos *O Vira Lata*, um Carlos Zéfiro dos anos 90 escrito por Paulo Garfunkel e desenhado por Líbero Malavoglia, e atendi doentes. Com os anos, ganhei confiança e pude andar com liberdade pela cadeia. Ouvi histórias, fiz amizades verdadeiras, aprendi medicina e muitas outras coisas. Na convivência, penetrei alguns mistérios da vida no cárcere, inacessíveis se eu não fosse médico.

Neste livro, procuro mostrar que a perda da liberdade e a restrição do espaço físico não conduzem à barbárie, ao contrário do que muitos pensam. Em cativeiro, os homens, como os demais grandes primatas (orangotangos, gorilas, chimpanzés e bonobos), criam novas regras de comportamento com o objetivo de preservar a integridade do grupo. Esse processo adaptativo é regido por um código penal não escrito, como na tradição anglo-saxônica, cujas leis são aplicadas com extremo rigor:

— Entre nós, um crime jamais prescreve, doutor.

Pagar a dívida assumida, nunca delatar o companheiro, respeitar a visita alheia, não cobiçar a mulher do próximo, exercer a solidariedade e o altruísmo recíproco, conferem dignidade ao homem preso. O desrespeito é punido com desprezo social, castigo físico ou pena de morte:

— No mundo do crime, a palavra empenhada tem mais força do que um exército.

Não é objetivo deste livro denunciar um sistema penal antiquado, apontar soluções para a criminalidade brasileira ou defender direitos humanos de quem quer que seja. Como nos velhos filmes, procuro abrir uma trilha entre os personagens da cadeia: ladrões, estelionatários, traficantes, estupradores, assassinos e o pequeno grupo de funcionários desarmados que toma conta deles.

A narrativa será interrompida pelos interlocutores, para que o leitor possa apreciar-lhes a fluência da linguagem, as figuras de estilo e as gírias que mais tarde ganham as ruas.

Por razões éticas, os casos descritos nem sempre se passaram com os personagens a que foram atribuídos. Como diz a malandragem:

— Numa cadeia, ninguém conhece a moradia da verdade.

Junho de 1999

ESTAÇÃO CARANDIRU

— Cadeia é um lugar povoado de maldade.

Pego o metrô no largo Santa Cecília, na direção Corinthians–Itaquera, e baldeio na Sé. Desço na estação Carandiru e saio à direita, na frente do quartel da PM. Ao fundo, a perder de vista, a muralha cinzenta com os postos de vigia. Vizinho do quartel abre-se um pórtico majestoso: CASA DE DETENÇÃO, em letras pretas.

O portão da rua leva a um pátio de estacionamento lotado de carros. Por ele circulam advogados, mulheres com sacolas e funcionários corpulentos de calça jeans que falam do trabalho, riem uns dos outros e mudam de assunto quando um estranho se aproxima. Há que cumprimentá-los com decisão; caso contrário, dá vontade de gritar de dor quando a mão é esmagada no aperto.

Trinta passos para dentro fica o predinho da Administração, fechado por um portão verde no qual se acha recortado um portãozinho para pedestres. Para entrar, não é necessário bater; basta aproximar a cabeça da janela do portãozinho que por telepatia o rosto do porteiro aparece mal iluminado, lá dentro.

A abertura obedece à velha rotina das cadeias, segundo a qual uma porta só pode ser aberta quando a anterior e a seguinte forem fechadas. É de boa educação esperar sem inúteis demonstrações de impaciência.

Ouço a batida do destranque e caio na Ratoeira, um átrio gradeado com dois guichês rasgados à esquerda, para o visitante se identificar. De entre os guichês sai um corredor que dá acesso à sala do diretor-geral, ampla e cheia de luz. A mesa é antiga. Na parede atrás dela, uma foto do governador. Mais abaixo, um dos diretores, cadeeiro de muitos anos, afixou uma placa de cobre: "É mais fácil um camelo passar pelo buraco de uma agulha do que um rico entrar preso na Casa de Detenção".

Retorno à Ratoeira, espero abrir o portão interno e fico de frente para a muralha que circunda a cadeia, vigiada por policiais militares armados com submetralhadoras.

Passo para a Divineia, um pátio amplo em forma de funil. Na parte estreita fica a sala de Revista Corporal, parada obrigatória dos que entram, exceto médicos, diretores e advogados. Antes do acesso aos pavilhões, é preciso entrar nesta sala e levantar os braços diante dos revistadores, que se limitam a bater as mãos na cintura e na face lateral das coxas do revistado.

Revistar é outro ritual de cadeia.

Engana-se, no entanto, quem julga pura encenação tão mecânica revista: volta e meia alguém é flagrado com droga, vai preso e cumpre pena nas dependências do COC (Centro de Observação Criminal).

Uma vez, cinco presos do pavilhão Cinco, armados de facas, tomaram funcionários como reféns na Lavanderia, para conseguir transferência de presídio. A porta da cadeia ficou cheia de polícia e repórteres com câmeras. Um funcionário aproveitou a confusão para entrar com um quilo e meio de cocaína. Foi pego na Revista. Seu Jesus, diretor de Vigilância, ex-lutador profissional de luta livre, hoje pastor protestante, fez o que pôde para identificar o destinatário da encomenda:

— É melhor contar. Olha a tua situação, meu: de manhã, você chega no trabalho como chefe de família, respeitado; à tarde, sai daqui preso. Vai pegar cinco ou seis anos lá no COC. Teus meninos, agora, são filhos de bandido. Tua esposa não é mais senhora de um servidor público, é mulher de malandro.

O apelo emocional foi de pouca valia para a Vigilância. O convívio, mestre persistente, havia ensinado ao carcereiro-traficante o mandamento supremo da marginalidade:

— O Crime é silêncio.

Outro dia, um funcionário do pavilhão Oito, atarracado, de bigode, quis entrar com um pacote de crack amarrado à face interna das coxas. O revistador, que andava meio desconfiado, descobriu. Surpreendido, o rapaz atarracado saiu correndo para dentro da cadeia com o objetivo de atingir o Oito, no fundo do complexo, onde poderia contar com a ajuda dos proprietários da droga para se livrar do flagrante. Não atingiu o intento; na correria, foi derrubado pelos colegas.

Do lado da Revista fica a Copa da diretoria, construção recente executada pelos próprios presos. Um deles, quando a obra estava no final, fez questão de me mostrar o trabalho; com os olhos brilhando de orgulho, apontava as tábuas do teto caprichosamente alinhadas por ele e um companheiro estrábico que se perfilava a seu lado, balançando vigorosamente a cabeça em anuência completa às explicações do marceneiro-chefe. No final, apertei-lhes a mão em despedida. Só então escutei a voz empostada do ajudante:

— Reeducando Xavier às suas ordens, doutor.

A Divineia é cheia de movimento durante o dia. Tudo o que entra ou sai da cadeia passa obrigatoriamente por ela. Sem atravessá-la, só pulando a muralha ou cavando túnel. Caminhões descarregam comida, tijolos, madeira e material para o trabalho nos Patronatos, além de retirar toneladas de lixo. Humanamente impossível revistar tudo o que entra. Paralisaria o presídio.

É na Divineia o ponto final dos camburões que trazem os presos ou que os levam para fora: depoimentos no Fórum, reconhecimento nos distritos ou transferência para outros presídios — procedimento chamado de "bonde", na linguagem da cadeia. Os que chegam descem algemados pela porta de trás do camburão, ofuscados pela luz repentina. À noite, com a Divineia escura, a cena de chegada na cadeia provoca melancolia.

A Detenção tem mais gente do que muita cidade. São mais de 7 mil homens, o dobro ou o triplo do número previsto nos anos 50, quando foram construídos os primeiros pavilhões. Nas piores fases, o presídio chegou a conter 9 mil pessoas.

Como o trabalho de carga e descarga fica por conta dos detentos, é na Divineia o meu primeiro contato com eles. Facílimo reconhecê-los, basta olhar para a calça de cor bege, uniforme obrigatório. Paletó é proibido, o cabelo tem que estar curto. Não podem andar descalços, de peito nu ou a barba por fazer. Camisa, malha e blusão são livres. A camiseta é soberana. A alvinegra do Esporte Club Corinthians Paulista é disparado a mais popular, bate as do Palmeiras, São Paulo e Santos somadas. Em época de Copa, a da seleção tinge os corredores de canário, depois rareia e desaparece. Camiseta-propaganda de político ninguém usa, pega mal no ambiente.

Em minha direção vem um malandro desdentado, na ginga, sandália de dedo e uma T-shirt impecável da New York University:

— Chegando, doutor?
— Estou. Como foi o fim de semana?
— Suave.

Na parte ampla do funil que é a Divineia, o pátio é fechado por um paredão com figuras natalinas pintadas anos atrás: um pastorzinho contra o céu estrelado, montanhas com neve e três ovelhinhas bondosas. Atrás delas, erguem-se os andares superiores do pavilhão Seis, central.

Do lado esquerdo da Divineia, há um bosque com macaquinhos nos galhos e um coreto inútil. Entre as árvores, um caminho asfaltado leva ao portão que conduz aos pavilhões Dois, Cinco e Oito.

Do lado oposto, vizinho à Copa da diretoria, há um canteiro de flores e uma fontezinha assentada num receptáculo de caco de cerâmica, no qual um dia nadaram peixinhos ornamentais.

A fonte é despojada: três discos revestidos com azulejos azuis, de diâmetros crescentes do topo para baixo, concêntricos em torno de um eixo de concreto. Do disco superior, escorre sobre os outros um minguado fio de água, exausto para a tarefa de projetar-se ao alto e na queda oxigenar a água em que viveram os peixinhos, conforme a concepção original. É uma obra que não faz justiça à tradição brasileira no campo dos chafarizes.

Deste lado, em posição simétrica à que dá acesso ao Dois, entre o jardim caipira e a fonte, fica o portão de entrada para os pavilhões do lado direito da cadeia: o da frente é o Quatro, depois vêm o Sete e o Nove. No último andar do Quatro está situada a enfermaria, local de muitas histórias contadas neste livro.

O CASARÃO

A Detenção é um presídio velho e malconservado. Os pavilhões são prédios cinzentos de cinco andares (contado o térreo como primeiro), quadrados, com um pátio interno, central, e a área externa com a quadra e o campinho de futebol.

As celas ficam de ambos os lados de um corredor — universalmente chamado de "galeria" — que faz a volta completa no andar, de modo que as de dentro, lado I, têm janelas que dão para o pátio interno e as outras para a face externa do prédio, lado E.

Paredes altas separam os pavilhões, e um caminho asfaltado, amplo, conhecido como "Radial", por analogia à movimentada avenida da zona leste da cidade, faz a ligação entre eles.

O portão de entrada dos pavilhões é guardado por um funcionário sem armas nem uniforme. Para diferenciá-los dos presos, os carcereiros vestem calça escura ou jeans. É proibido entrar no presídio com armas, exceção feita ao temido pelotão de Choque da PM, nos dias de revista geral.

As celas são abertas pela manhã e trancadas no final da tarde. Durante o dia, os presos movimentam-se com liberdade pelo pátio e pelos corredores. Cerca de mil detentos possuem cartões de trânsito para circular entre os pavilhões. São faxineiros, carregadores, carteiros, estafetas, burocratas, gente que conta com a confiança da administração, além daqueles que os conseguem por meios ilícitos. Para os funcionários, esse passa-passa torna a cadeia incontrolável, e, se cada pavilhão pudesse ser isolado como unidade autônoma, ficaria mais fácil vigiar.

Por segurança, a entrada do pavilhão é gradeada em forma de uma gaiola constituída pela porta externa e pelas internas, que bloqueiam o acesso à escada e à galeria do térreo. O mesmo sistema de gaiolas repete-se na entrada de todos os andares. Com as gaiolas trancadas, quem vem pela galeria é obrigado a abrir duas portas para ter acesso à escada do andar e, ao atingir o térreo, outras duas, na gaiola de baixo, para sair do pavilhão.

Não há portas elétricas como nos filmes: o abre e fecha é no braço.

No folclore do Casarão há muitas menções às "ruas Dez", palcos tradicionais de disputas violentas. Na verdade, rua Dez nada mais é do que o trecho da galeria oposto à gaiola de entrada do andar, do outro lado do quadrado, longe da visão dos guardas, que, para atingi-la, são obrigados a percorrer as galerias laterais, onde ficam expostos à visão dos "olheiros" estrategicamente dispostos nas duas esquinas da Dez, nos momentos mais agudos.

Não há briga de soco na rua Dez, paulada e facada é que acertam diferenças sob o olhar excitado dos circunstantes. O perdedor, quando sai vivo, desce para a Carceragem e pede transferência de pavilhão, geralmente para o Cinco. O adversário melhora a posição no ranking. Outras vezes, o condenado à morte é atraído para lá e esfaqueado por um grupo de composição variável. Nessas situações, há quem aproveite para dar um golpe a mais mesmo em alguém que nenhum mal lhe causou.

O velho Jeremias, de carapinha branca, sobrevivente de quinze rebeliões e pai de dezoito filhos com a mesma mulher, não considera a valentia o ponto forte dos agressores:

— Tantos anos na cadeia, doutor, e nunca vi ninguém matar alguém sozinho. Chega a juntar vinte, trinta, para meter a bicuda naquele que vai morrer. Pode ser forte que for, não tem defesa. A cadeia perversa a mente do sentenciado num tanto tal, que o cara está levando os golpes e muitos que não têm nada a ver com a fita pegam carona na desgraça do alheio e soltam a faca também, só de maldade. Isso aqui, é a maior covardia!

No térreo dos pavilhões ficam os setores de apoio: eletricidade, hidráulica, uma sala de atendimento médico, a Carceragem com os arquivos dos presos, a escolinha e as igrejas. Em cima das mesas não há computadores, apenas máquinas de escrever. Diante delas, sentam-se funcionários auxiliados por equipes de detentos encarregados da burocracia. Na parede, invariavelmente, há um quadro-negro com os dados numéricos do pavilhão. O fluxo de transferências e libertações é intenso.

A população da Casa é móvel: cerca de 3 mil homens são libertados ou transferidos anualmente. Construída para albergar apenas presos à espera de julgamento, a Detenção transformou-se numa prisão geral. Ao lado de ladrões primários condenados a poucos meses, ali cumprem pena criminosos condenados a mais de um século.

OS PAVILHÕES

Embora a arquitetura externa dos pavilhões seja semelhante, suas divisões internas e a geografia humana são bem diferentes. Como vimos, quem vem da rua para a Divineia fica de frente para o pavilhão Seis, central. Da entrada para o fundo, à esquerda, vêm os pavilhões Dois, Cinco e Oito. À direita, em posição simétrica, o Quatro e depois o Sete e o Nove.

PAVILHÃO DOIS

É a entrada da cadeia. Vivem ali oitocentos presos que cuidam da Administração: Chefia, Carceragem, serviço de som e refeitório dos funcionários. Além dos setores de apoio, no térreo do Dois funcionam a alfaiataria, a barbearia, a fotografia, a rouparia e a laborterapia, que controla a remissão de pena à qual fazem jus aqueles que trabalham (para cada três dias trabalhados, o detento ganha um de remissão da pena).

Ao chegar na Casa, o preso desce do camburão na Divineia e vai direto para o Controle Geral do Dois, encarregado de registrá-lo, fotografá-lo e distribuí-lo para os diferentes pavilhões.

É no pátio interno do pavilhão Dois que acontece o ritual de chegada: o detento é registrado, fica de cueca na frente de todos e deposita a roupa na Rouparia. Recebe a calça cáqui, chamada de "calça jega", e corta o cabelo modelo "tigela", primeiro e último corte gratuito na cadeia.

O corte dos "triagens" é único. Parece, de fato, que colocaram uma tigela pequena no topo da cabeça e passaram a máquina zero da beirada para baixo. Dá ao recém-chegado um ar tosco, especialmente no caso dos mais velhos.

Despersonalizado, o novato é recolhido na Triagem Um, no térreo, uma cela de oito metros por quatro, lotada de acordo com o número de detentos que a Casa recebeu naquele dia. Dali, no dia seguinte, vai para a Triagem Dois, no terceiro andar, aguardar a distribuição, que é feita obrigatoriamente por um dos três diretores: o diretor-geral, o de Disciplina ou o de Vigilância. Fechada durante as 24 horas do dia, esta cela chega a albergar sessenta, setenta e até oitenta homens, dependendo do fluxo de entrada.

Quando ocorrem rebeliões nos distritos policiais, podem chegar cinquenta ou mais presos de uma vez só. Numa dessas, recentemente, duzentos detentos vieram transferidos. Como se queixam os funcionários, sempre cabe mais gente:

— Isso aqui é pior do que coração de mãe.

Ou, numa visão mais prosaica:

— Aqui desemboca o esgoto da cidade.

Na distribuição, o diretor reúne grupos de dez a quinze triagens que, respeitosamente, de mãos para trás, ouvem as normas da Casa:

— Vocês estão chegando na Casa de Detenção de São Paulo para pagar uma dívida com a sociedade. Aqui não é a casa da vovó e nem da titia, é o maior presídio da América Latina. Aqueles que forem humildes e respeitarem a disciplina, podem contar com os funcionários para ir embora do jeito que a gente gosta: pela porta da frente, com a família esperando. Agora, o que chega dizendo que é do Crime, sangue nos olhos, que é com ele mesmo, esse, se não sair no rabecão do Instituto Médico Legal, pode ter certeza que vamos fazer de tudo para atrasar a vida dele. Gente assim, nós temos mania de esquecer aqui dentro.

Cuidado especial é dedicado à segurança dos recém-chegados. Seu Jesus, diretor de Vigilância, tem uma forma peculiar de abordar o problema:

— Se algum dos senhores por acaso tem dificuldade de relacionamento social num dos pavilhões, não faça cerimônia, meu filho, pode abrir o coração comigo. Deixa a gente ajudar agora, antes que seus inimigos o façam.

A seguir, de um em um, para certificar-se do tipo de crime que resultou na condenação e já prevendo a invariável negativa de autoria, pergunta sério:

— Qual foi o delito que dizem que o senhor cometeu?

O critério de distribuição não é rígido, mas obedece às regras básicas. Por exemplo, artigo 213 — estupro — normalmente é encaminhado para o pavilhão Cinco; reincidentes, no Oito; primários, Nove; e os raríssimos universitários vão morar nas celas individuais do pavilhão Quatro.

Na Triagem, muitos pedem para ficar no próprio Dois. Devido à disponibilidade de trabalho e, talvez, por situar-se na frente do presídio, mais próximo da Administração, o pavilhão tem fama de tranquilo:

— Lá é mais fácil correr atrás da liberdade.

PAVILHÃO QUATRO

Fica do lado oposto, simétrico ao Dois. Contém menos de quatrocentos presos, alojados em celas individuais, caso único na Detenção. Durante a triagem, quando o recém-chegado pede para ser designado para o Quatro, o diretor responde:

— Não diga?... No Quatro, meu filho, até eu gostaria de morar.

A intenção original era a de que fosse um pavilhão exclusivo do Departamento de Saúde. De fato, no térreo estão os xadrezes dos presos com tuberculose e no quinto andar funciona a enfermaria geral. No entanto, por necessidade de proteção aos marcados para morrer, a direção foi obrigada a criar um setor especial no térreo, a "Masmorra", de segurança máxima — o pior lugar da cadeia.

A Masmorra fica em frente à gaiola de entrada do pavilhão. É guardada por uma porta maciça, ao lado da qual uma placa avisa que é terminantemente proibida a entrada de qualquer pessoa não autorizada. São oito celas de um lado da galeria escura e seis do outro, úmidas e superlotadas. O número de habitantes do setor não é inferior a cinquenta, quatro ou cinco por xadrez, sem sol, trancados o tempo todo para escapar do grito de guerra do Crime:

— Vai morrer!

Ambiente lúgubre, infestado de sarna, muquirana e baratas que sobem pelo esgoto. Durante a noite, ratos cinzentos passeiam pela galeria deserta.

A janela do xadrez é vedada por uma chapa de ferro fenestrada, que impede a entrada de luz. Por falta de ventilação, o cheiro de gente aglomerada é forte e a fumaça de cigarro espalha uma bruma fantasmagórica no interior da cela. Tomar banho exige contorcionismo circense embaixo do cano na parede ou na torneira da pia, com uma caneca.

A Masmorra é habitada pelos que perderam a possibilidade de conviver com os companheiros. Não lhes resta outro lugar na cadeia; nem nas alas de Seguro, como o Amarelo do Cinco, por exemplo. Mofam trancados até que a burocracia do Sistema decida transferi-los para outro presídio.

O nome "Masmorra" periodicamente chama a atenção da imprensa e das organizações de defesa dos direitos dos presos e obriga a Corregedoria a inspecionar o local. Numa dessas visitas o diretor-geral, irritado com o juiz corregedor que o culpava pela situação desumana em que viviam os habitantes da ala, propôs-lhe com firmeza:

— Doutor, vou abrir cela por cela e o senhor vai perguntar quem aceita ser transferido daqui para qualquer pavilhão da Casa. Se eles estiverem de acordo, transfiro todo mundo e fecho o setor na sua presença.

Após a abertura do segundo xadrez, o corregedor entendeu que o desejo de cada um era mudar de presídio, só que se recusavam a sair da Masmorra enquanto não cantasse a transferência, por se julgarem protegidos naquele local.

Em dia de sol, no pátio do Quatro, o visitante vai encontrar muitos presos em precárias cadeiras de roda. Quase sempre são ladrões que perderam o movimento das pernas em tiroteios, e cumprem pena no Quatro para cuidar das sondas urinárias e das escaras que não cicatrizam. Além disso, podem utilizar o elevador do pavilhão, o único que ainda funciona na cadeia. Os paraplégicos são muito respeitados pelos companheiros, que costumam auxiliá-los nas tarefas diárias.

No segundo andar, há um trecho da galeria cujas celas são identificadas com um cartão afixado: "DM", sigla que identifica os "doentes mentais". O critério para lhes atribuir tal rótulo é incerto, uma vez que não existe serviço especializado em psiquiatria na Casa. Alguns dos DMs já chegaram com distúrbios sérios de comportamento, outros entraram em surtos psicóticos na própria cadeia e avançaram sem motivo para esganar o companheiro, tentaram suicídio, desenvolveram quadros depressivos graves ou esgotaram o cérebro no cachimbo de crack.

Genival, um dos habitantes do setor, diz que perdeu o juízo por causa da visão de um senhor que ele matou num assalto:

— Quando a noite caía, a alma penada dele vinha me assombrar, na escada, na galeria e até no xadrez trancado. Tentei me suicidar duas vezes para escapar da perseguição.

Como nos manicômios do século XIX, passam o tempo reclusos em seus xadrezes. A medicação psiquiátrica que recebem é praticamente a mesma para todos.

A situação desses presos só não é pior por causa da dedicação comovente de um cearense de cabelo ondulado convertido a pastor do Exército da Salvação, condenado a doze anos por crimes que ele dizia fazer de tudo para esquecer, que chefiou por muito tempo um grupo de auxiliares encarregados da higiene, da medicação e de dar comida na boca dos que não conseguiam se alimentar.

A falta de médicos especializados em distúrbios psiquiátricos permite que a malandragem mau caráter simule quadros psicóticos para se refugiar entre os DMs e escapar da vingança dos inimigos.

Como diz Bigode, um homem de caráter forte, antigo no pavilhão, chefe de uma quadrilha de piratas no porto de Santos, cumprindo 213 anos:

— Para se livrar da patifaria que aprontou, ele finge que perdeu o juízo e vem parar no meio dos DMs, no Quatro. Amanhã vai para a rua e ainda tira uma que cumpriu pena na Detenção, que ele é do Crime, sangue bom.

O castigo destes pode vir através da medicação psiquiátrica prescrita, que provoca impregnação e impõe dificuldade de coordenação motora, tremores, descontrole dos esfíncteres e outras alterações neurológicas.

Por imperativos de segurança, discretamente a diretoria manda para o Quatro alguns estupradores e justiceiros, bandidos geralmente contratados por comerciantes da periferia para matar ladrões do bairro. Como o pavilhão é menos populoso, mais tranquilo, os praticantes desses delitos têm mais chance de escapar da ira coletiva. A presença oculta deles, no entanto, cria um clima de desconfiança em relação ao pessoal do Quatro:

— Ali, ninguém sabe quem é e quem não é.

PAVILHÃO CINCO

É o que está em pior estado de conservação. Fica do lado oposto ao Quatro, vizinho do Dois. Tem escadas com degraus desbeiçados, fiação elétrica por fora das paredes infiltradas pelos vazamentos, água empoçada e lâmpadas queimadas na galeria. Nas janelas, a malandragem hasteia mastros para secar a roupa. Clima de cortiço.

É o pavilhão mais abarrotado da cadeia. Movimento intenso nos corredores. Há momentos em que não se consegue alojar um preso a mais sequer. Moram ali 1600 homens, o triplo do que o bom-senso recomendaria para uma cadeia inteira. Para tomar conta deles, a Detenção escala de oito a dez funcionários durante o dia e cinco ou seis à noite, às vezes menos.

No primeiro andar, além da Carceragem, da enfermaria e da sala de aula com uma biblioteca pobrezinha, fica a Isolada, um conjunto de vinte celas que guardam de quatro a dez homens espremidos em cada uma. São detentos pegos em contravenções locais, como porte de arma, pinga, tráfico, desrespeito aos funcionários ou plano de fuga. Cumprem trinta dias nesse lugar abafado, escuro, com a janela coberta por uma chapa perfurada igual à da Masmorra. Tranca dura, permanente. Os trinta dias sem sol.

Seu Lupércio, com mais de oitenta anos e dezenas de entradas e saídas na Casa por fumar e vender maconha, diz que isso não é nada:

— Antigamente trancava tantos numa cela, que precisava fazer rodízio para dormir. Metade ficava em pé, quietinho para não acordar os outros. Na troca de turno é que aproveitava para urinar. Precisava comer pouco, porque não podia evacuar o intestino no xadrez. Só quarta e sábado, quando destrancava por uma hora para o banho e as necessidades. Castigo durava noventa dias, não era essa moleza de trinta como agora.

No segundo andar moram os presos integrantes da Faxina, encarregados da limpeza geral e da distribuição das refeições, além dos que trabalham nos patronatos, no judiciário e na entrega das sacolas de alimentos trazidas durante a semana, para quem tem a felicidade de contar com família.

O terceiro andar é conhecido como o dos estupradores e justiceiros, também chamados de "pés de pato", embora nem todos os seus ocupantes pertençam a essas categorias. A experiência recomenda colocar os estupradores junto com os justiceiros, para que os dois grupos se protejam em caso de vingança da massa carcerária, que não perdoa o estupro e odeia caçadores de ladrões.

No quarto andar moram os que não conseguiram lugar melhor, outros que foram expulsos dos pavilhões devido a mau procedimento ou derrota em disputas pessoais, além de mais estupradores e justiceiros. Nesse andar, porém, o que chama a atenção do visitante é a presença dos travestis, com as maçãs do rosto infladas de silicone, calças agarradas e andar rebolado. Durante o dia, alguns fazem ponto na porta das celas.

No último andar, à direita, fica a ala da Assembleia de Deus, o grupo evangélico de presença mais forte na Casa. São inconfundíveis: jamais calçam tênis, sempre de sapato, camisa de manga comprida abotoada no colarinho e a Bíblia preta desbotada. Moram na ala mais de quinhentas pessoas que rezam dia e noite sob a supervisão de um enérgico pastor-chefe e seus auxiliares. É uma igreja e um centro de recuperação ao mesmo tempo.

Vizinho dos crentes, à esquerda, ainda no quinto andar, fica o Amarelo, um conjunto de segurança fechado 24 horas por dia. Vão para lá os que estão ameaçados de morte e alguns infelizes que, simplesmente, não têm onde morar. Vivem no Amarelo de quinhentos a seiscentos presos, quase 10% da população da Casa, pelo menos seis ou sete em cada xadrez de três metros por dois de largura.

O Cinco é o pavilhão dos sem-família, dos sem-teto e dos "humildes". Embora homens respeitados cumpram pena nas suas dependências, no conceito da malandragem é o pavilhão da ralé. Vi ladrão barbado chorar feito criança ao ser transferido para lá.

Como na população local misturam-se justiceiros, estupradores, delatores e presos que estão em dívida com outros, os habitantes do Cinco, conscientes do perigo que correm, precisam estar preparados para se defender. Podem passar anos em paz, mas um dia a cadeia vira e eles acabam na ponta de uma faca. Como diz a malandragem:

— Aqui, quem tem mancada no Crime vive em sobressalto.

Por isso o Cinco, além de tradicional produtor de "maria-louca", a pinga destilada clandestinamente, é considerado o pavilhão mais armado:

— O Cinco é a fábrica de faca da cadeia.

PAVILHÃO SEIS

Fica entre o Dois e o Quatro. É o único em posição central no complexo. Tem cerca de trezentos presos.

No térreo funcionou a Cozinha Geral até 1995, quando ela foi desativada e a Casa passou a receber a comida dos presos em quentinhas. As instalações, no entanto, ainda continuam no local: enormes panelas de pressão com o revestimento externo amassado, piso destruído, azulejos despregados e goteiras do teto. À noite, a Cozinha abandonada parece cenário de filme expressionista.

No segundo andar há um auditório enorme, no qual chegamos a reunir mais de mil detentos em palestras sobre prevenção à AIDS. Nesse local funcionou um cinema, até ser destruído numa rebelião. Daí em diante ficou apenas o grande salão, com um palco de madeira elevado, na frente.

No segundo e no terceiro andar do Seis funcionam as salas destinadas à Administração: Vigilância, Disciplina, Departamento de Esportes, Judiciário e diretoria de Valorização Humana.

As celas começam no quarto andar. Dois, três, cinco, até quinze prisioneiros em cada uma delas.

No quinto andar, um setor chamado MPS (Medida Preventiva de Segurança) foi criado como alternativa à superlotação do Amarelo; entretanto, devido ao impacto desagregador do crack na ordem interna, inaugurado, o MPS lotou imediatamente.

Quem visita o Seis encontra rodinhas de homens negros falando uma língua estranha. São nigerianos conversando no dialeto nativo (embora quase todos falem inglês e às vezes português, com sotaque forte). Fazem parte da conexão nigeriana do tráfico de cocaína, detidos no país e aqui obrigados a cumprir pena.

Caçapa, um ladrão que cumpre cinco anos no Seis, que ganhou 20 mil dólares num assalto a banco, com os quais comprou um mercadinho no bairro da Pedreira e, assim, atendeu aos apelos da mulher para que abandonasse o crime e que seis meses depois, para não perder a moral, teve que perseguir e matar os dois adolescentes que assaltaram o referido estabelecimento, tem a respeito dos nigerianos uma opinião que reflete a da maioria:

— Se o senhor pergunta, eles respondem e não esticam o assunto; se não pergunta, eles ficam na deles. Eles não são do Crime, são aventureiros do tráfico, não ajudam e nem atrasam a vida do ladrão, são humildes, sangue bom. A gente enaltece a pessoa deles.

PAVILHÃO SETE

Quem está na Divineia de frente para o pavilhão Seis, central, fica com o Sete à sua direita, vizinho do Quatro. Os xadrezes do Sete contêm de três a seis pessoas, no máximo, e a maioria dos presos trabalha.

No térreo, como nos outros pavilhões, funcionam a burocracia, os setores de manutenção e o Patronato, que organiza o trabalho encomendado de fora: colocar espirais em caderno, elásticos em pastas, construção de miniaturas de barcos a vela (antiga tradição das cadeias brasileiras), costurar bolas de futebol e outras tarefas manuais.

No segundo andar mora a Faxina, constituída por um grupo de vinte a trinta presos, e nos outros andares os demais habitantes, distribuídos sem ordem aparente. No quinto andar, estão os xadrezes reservados aos que cumprem castigo.

No pátio há uma quadra de esportes e dois campinhos de futebol empoeirados, palcos de batalhas futebolísticas nas quais os atletas não chegam propriamente a primar pela técnica, muito menos pela elegância do vestuário.

O Sete foi construído para ser um pavilhão de trabalho e assim permanece. A ocupação, as práticas esportivas e a relativa ausência de superlotação são responsáveis pela fama de calmo atribuída ao pavilhão. De fato, muitas vezes passam-se dois ou três anos sem ocorrer uma única morte em suas dependências.

Por ser o pavilhão mais próximo da muralha, no entanto, o Sete é o local preferido para as fugas subterrâneas:

— O Sete é a fábrica de túnel da cadeia.

PAVILHÃO OITO

Fica atrás, à esquerda, e forma, com o Nove, o "fundão" do presídio:

— O problemático fundão.

O pavilhão é quadrado como os outros, porém enorme, as galerias chegam a ter quase cem metros de comprimento. No total, moram no Oito cerca de 1700 pessoas, mais de seis vezes a população da prisão americana de Alcatraz, desativada nos anos 60.

No segundo andar ficam as celas dos faxineiros, de 150 a duzentos homens.

Nos andares de cima, nos xadrezes que dão para o pátio interno, vivem em média seis pessoas. Já os da fachada externa do pavilhão podem ser semicoletivos e albergar dois ou três homens, ou coletivos, com dez a doze. No quinto andar há oito celas de Castigo, semelhantes às dos outros pavilhões.

No térreo, além das seções burocráticas, funcionam uma capela católica, os templos da Assembleia de Deus, a Igreja Universal, a Deus é Amor e o Centro de Umbanda.

No pátio do Oito há uma quadra esportiva e o maior campo de futebol da cadeia. No chão batido são disputados os campeonatos internos e as partidas contra os times da rua que a convite enfrentam a seleção da cadeia. Nessas ocasiões, pobre daquele que desrespeitar um visitante.

Os xadrezes do Oito, assim como os do Sete, do Cinco e do Nove, têm proprietários, prática tradicional da Detenção que será explicada mais adiante. Por isso, quem não tem de trezentos a quatrocentos reais para comprar a cela de um companheiro vai morar nas "duchas" do Oito. Nestas, anteriormente destinadas aos banhos coletivos, moram de seis a dez pessoas num espaço de três metros de comprimento por dois. Há uma ducha no terceiro, no quarto e no quinto andar.

A principal característica do Oito, no entanto, não está na planta física ou na superlotação, mas na paisagem humana. Vão para lá os reincidentes no crime; réus primários são raros. A concentração de presos conhecedores das leis da cadeia estabelece regras de comportamento bem definidas.

Rolney, um ladrão da zona sul que cumpriu doze anos no pavilhão e foi libertado, mas retornou porque ao surpreender a mulher morando — na casa que era dele — com seu melhor amigo, convidou o rival para uma cerveja no bar da favela e quando este tentou consolá-lo dizendo que a vida era assim mesmo, matou-o com dois tiros para provar que não, caracteriza o Oito da seguinte forma:

— Aqui mora quem já passou pelo jardim de infância da cadeia. Entre nós não existem meias palavras. Não pode confundir *a* com *b*. Ou é ou não é. Se não é, morreu.

Gersinho, portador do vírus da AIDS, dezenove anos, assaltante primário aceito no pavilhão porque um ladrão que o viu nascer, e que talvez tenha sido namorado de sua mãe, convidou-o para morar em seu xadrez, diz que aprendeu muito com a convivência:

— No Oito, cada qual carrega sua cruz, calado. O sofrimento dos anos de cadeia ensina o sentenciado a se trancar na própria solidão. É uma escola de sábios.

O pavilhão é para aqueles com nome feito no Crime. Geralmente, o habitante do Oito é mais velho e não se envolve em confusão. Olha, escuta e fica quieto. Não age, reage:

— Faz como a cascavel: só dá o bote quando pisam nele.

PAVILHÃO NOVE

Faz par com o Oito, no fundo. Chega a ter mais de 2 mil presos, a maioria condenada pela primeira vez. As dimensões, a organização dos setores de serviço e a distribuição dos xadrezes são as mesmas do Oito. As semelhanças param por aí, entretanto.

No Nove, existem duas celas de triagem com um número de prisioneiros que pode chegar a trinta, dormindo no chão, espremidos, tomando cuidado para não encostar o rosto nos pés do companheiro.

As Triagens ficam trancadas o tempo todo. Os presos só descem para receber as visitas aos domingos ou às quartas-feiras das oito às quinze, quando são liberados para procurar xadrez, tarefa árdua para os novatos desconhecidos, porque o direito de posse da moradia, como dissemos, é dos ladrões há muito tempo.

Na reforma que o pavilhão sofreu depois do massacre de 1992, os beliches de madeira varados de bala foram substituídos por lajes de concreto. Por essa razão, no Nove, quem não tem condições financeiras para comprar um xadrez inteiro pode adquirir apenas o direito de exclusividade da "pedra", ou cama.

Assim que os triagens chegam, os outros sobem para ver se entre eles há amigos ou inimigos. Nesse caso, o desafeto é ameaçado de morte e tem duas alternativas: pedir refúgio, desmoralizado, no Amarelo do Cinco, ou enfrentar o desafio e as facas do inimigo e seus parceiros. Como dizem os funcionários:

— O Nove é um pavilhão de encontro.

Embora a direção propositalmente mantenha alguns presos mais experientes no Nove, a alta concentração de jovens impetuosos é responsável pelas frequentes confusões criadas no pavilhão.

Imediatamente depois do massacre de 1992, um faxineiro do Oito condenado a 27 anos por assalto a um banco na XV de Novembro, no centro de São Paulo, no qual perdeu a vida o gerente, fez a seguinte crítica aos companheiros do Nove:

— É tudo cabeça de bagre, doutor. No meio de uma bagunça daquelas, deixar os funças ir embora e ficar só os presos para dentro do pavilhão é pedir para a PM invadir. Um barato daqueles jamais teria se passado no Oito.

Majestade, assaltante dos anos 70 que cumpre pena há vinte anos sem sair do Nove, diz que a diferença em relação ao Oito é a seguinte:

— Em nenhum dos dois pode pisar no ovo, só que no Oito é você mesmo que coloca o ovo. No Nove, são os outros, e ainda espalham sabonete no chão para escorregar.

O BARRACO

A cela, xadrez ou barraco é a unidade funcional da cadeia. Suas dimensões variam sem lógica aparente: algumas, até espaçosas, são individuais; em outras, espremem-se sete, oito, vinte ou, como nas de Triagem, sessenta homens.

Há muitos anos a direção da Casa perdeu o direito de posse nos pavilhões maiores, como o Cinco, o Sete, o Oito e o Nove. Nesses, cada xadrez tem dono e valor de mercado. No pavilhão Cinco, custam mais barato: de 150 a 200 reais; no Oito há um xadrez de luxo com azulejos de primeira, cama de casal e espelhos que vale 2 mil.

A origem da propriedade perde-se no passado, quando os recursos da Casa começaram a minguar e a manutenção das celas ficou por conta dos próprios detentos, como explica Juscelino, um mineiro de sorriso encantador que comprava maconha no sertão de Pernambuco e voltava de ônibus-leito com a droga na mochila:

— O companheiro gasta o dele no melhoramento do barraco. Depois, a polícia vai querer colocar outro lá para morar de graça. Cadê a justiça?

Na opinião do dr. Walter, que começou ainda menino como carcereiro, formou-se advogado e chegou a diretor-geral do presídio, para resolver o problema seria preciso transferir todos os detentos, fechar a cadeia e começar de novo:

— No meio da noite, o senhor manda o preso para um xadrez. De manhã, ele sai e diz que não fica de jeito nenhum; sem explicar por quê. Pode insistir, ameaçar, fazer o que quiser que ele não volta; tem medo de morrer. Há xadrez em que o dono é libertado e deixa um inquilino pagando aluguel ou um amigo morando de graça. Se o proprietário voltar para a Detenção, o outro tem que devolver o imóvel. Veja a que situação chegamos!

No início a diretoria chegava a expulsar os ocupantes de uma cela e trancava-a por quinze dias. Quando resolvia abri-la, era inútil: preso nenhum aceitava morar nela.

A situação é especialmente adversa para os que chegam na cadeia sem amigos nem dinheiro. Valtércio, um arrombador de carros que, num dia de Copa, roubou oito televisores no porta-mala dos automóveis estacionados nas imediações do Fórum e mais tarde foi à falência num acerto com a polícia, constatou com amargura:

— Ó a situação do país, doutor, ter que pagar para morar na cadeia.

A luz entra pelas barras da janela, a "ventana", ilumina o xadrez e bate na porta, na parede oposta. A porta da cela é maciça, metálica, equipada com uma tranca que corre por fora, na qual é preso um cadeado forte. A presença desse cadeado, porém, não garante segurança a quem está trancado, pois no ambiente existem exímios praticantes da arte de abrir, ou "michar", qualquer tipo de fechadura. Por essa razão, alguns soldam uma alça de metal na parte interna da porta, outra no batente e prendem um cadeado entre elas, para se trancar por dentro. A prática é contra o regulamento e pode custar trinta dias na Isolada.

Uma noite, no pavilhão Cinco, durante a distribuição do segundo número do *Vira Lata*, perguntei através da janelinha de uma cela às escuras quantos moravam ali, para saber o número de gibis a entregar. Um negro forte acordou, pulou da cama e avançou para a porta com uma faca enorme na mão esquerda (pela rapidez com que a sacou, ela só podia estar escondida embaixo do travesseiro). Até entender o que se passava ele ficou ali, imóvel, com olhos de terror, a faca apontada na direção da porta. É pouco provável que confiasse na firmeza da tranca.

Na parte central da porta, abre-se uma pequena janela basculante, o "guichê", fechado por uma cortininha interna através da qual passam as entregas e efetuam-se as duas contagens diárias, ritual rigorosíssimo da cadeia. O guichê é suficientemente amplo para permitir a passagem da cabeça de um homem, expediente utilizado para xeretar a galeria no horário da tranca.

Para garantir a privacidade do espaço interno, pendura-se no teto, um pouco atrás da porta, o "come-quieto", um lençol que vem quase até o chão.

Ao contrário das prisões do cinema, em que as portas são gradeadas para expor os prisioneiros à vigilância permanente, na Detenção, os homens trancados nas celas não são vistos por quem passa na galeria. Se os carcereiros querem saber o que acontece, devem se restringir ao campo visual do guichê ou abrir a cela. Quando a situação é mais séria e decidem pela segunda opção, a boa técnica manda fazer os prisioneiros saírem pelados e colar as mãos à parede da galeria oposta ao xadrez.

Toda cela tem um vaso sanitário velho mas geralmente limpo, o "boi", de formas variadas. Alguns são daqueles antigos, do tipo francês, com um buraco e dois apoios para os pés; outros são os clássicos vasos de louça encravados num cone invertido de concreto. As privadas terminam num buraco seco, por onde corre a descarga. Por asseio, os presos jogam água fervente depois que o último usou o banheiro, à noite. Os mais cuidadosos tapam o buraco da privada com um saco plástico cheio de areia, para evitar odores, baratas e os ratos do encanamento. Para não manipular diretamente o saco, prendem-no a uma cordinha que passa por uma roldana fixada à parede.

Todas as celas têm uma pia e um chuveiro ou pelo menos um cano com saída de água na parede. Muitos gozam do conforto de duchas elétricas, que podem ser vendidas num momento de aperto ou aflição do corpo implorando cocaína.

No pavilhão Oito, num xadrez coletivo de 27 homens, no fundo, havia um banheiro com um cano quase encostado à parede, através do qual escorria um fio de água. Apesar da ginástica a que eram obrigados, ai daquele que não tomasse o banho diário, mesmo no frio de junho. Os mais velhos cuidavam de impor essa obrigação aos novatos.

É grave a situação da parte hidráulica. Os vazamentos fazem parte da rotina; infiltram paredes, inundam galerias, o pátio interno e o interior das celas. Alguns canos já foram tão emendados que os consertos ficam complicados.

Os beliches são de alvenaria ou madeira, às vezes engenhosamente colocados em cima da porta, junto às grades da janela ou tão próximos do teto que seus ocupantes se esgueiram como cobras para entrar no exíguo espaço. A este dão o nome de "galhada".

A privacidade no leito é obtida com cortinas coloridas que correm em fios presos ao beliche de cima ou diretamente no teto.

— O cortinório é de lei, devido que senão, tem gente olhando para mim o tempo todo. Sabe lá o que é isso, doutor, entra ano e sai ano, nenhum minuto o senhor poder ficar na sua? É onde que muito companheiro de mente fraca perde as faculdades e dá cabo da própria existência.

Nos grandes xadrezes coletivos, como os de Triagem, com sessenta, setenta pessoas, as camas são substituídas por colchonetes de espuma de borracha, dispostos lado a lado no chão. A redução do espaço pode ser tal que os homens dormem invertidos, os pés de um no rosto do companheiro:

— Que não tem cabimento ficar dois malandros esfregando o nariz um no outro.

Os menos afortunados sequer têm acesso ao pequeno conforto da espuma, pois os tais colchõezinhos faltam ou são vendidos para pagar dívidas, como é rotina entre os craqueiros. Nessa situação, deitam-se sobre cobertores ou pedaços de papelão, a sandália de dedo como travesseiro.

Nas Triagens, com os homens chegando e saindo o tempo todo, a prioridade na escolha do espaço é estabelecida por critério temporal:

— Quem por último chega, rói o pescoço. Não tem o que perguntar, já vai se aninhando do lado do boi. Só sai dali no dia que entrar um mais recruta.

A mobília é rústica; pequenos guarda-louças, cabides para as roupas e prateleiras para os objetos pessoais, além de bancos toscamente construídos com a madeira que aparece ninguém sabe de onde.

Num final de ano, a prefeitura de São Paulo instalou um palco junto ao campo do pavilhão Oito, para um show no qual vários conjuntos se apresentaram, inclusive o Reunidos por Acaso, tradicional grupo de pagode da Casa. Dois ou três dias depois, quando os organizadores apareceram para desmontar as instalações, descobriram que o palco havia desaparecido ou, como prefere dizer a malandragem, tinha sido "passado na seda":

— Tantas tábuas dando moleza, doutor, nós no maior esgano; caiu do céu...

Uma peça fundamental em qualquer xadrez é o fogareiro: um tijolo com um sulco esculpido pelo qual serpenteia uma resistência elétrica ligada à fiação que corre por fora da parede. Muitos, ao receber as refeições, lavam os alimentos, adicionam-lhes outros temperos e cozinham tudo de novo, procedimento que leva o nome de "recorte".

Demonstrar habilidades culinárias pode ser decisivo na luta por uma vaga num xadrez decente. Em troca da moradia o "barraqueiro", como é chamado o recortador, cuida da alimentação de todos.

A comida servida pela Casa é triste. Depois de alguns dias, não há cristão que consiga digeri-la; a queixa é geral. Os que não têm ganha-pão na própria cadeia ou família para ajudar, sofrem. Riquíssima em amido e gordura, a dieta, entretanto, engorda. Obesidade aliada à falta de exercício físico é um dos problemas de saúde da Detenção.

As galerias são lavadas todo final de tarde pelos "faxinas", um grupo de homens que constitui a espinha dorsal da cadeia, como veremos mais tarde. Tudo é limpo, ninguém ousa jogar lixo nas áreas internas. É raro ver um xadrez sujo, e, quando acontece, seus ocupantes são chamados de maloqueiros, com desdém.

Na Copa de 94, assisti Brasil versus Estados Unidos num xadrez com 25 presos, no pavilhão Dois. Não havia um cisco de pó nos móveis, o chão dava gosto de olhar. Em sistema de rodízio, cada ocupante era responsável pela faxina diária: após o café da manhã, ensaboar e escovar o chão, jogar um tacho de água fervente nos dois sanitários, tirar pó dos móveis e bater os tapetinhos; terminado o almoço, varrer bem varrido e água fervente nos bois; depois do jantar, água e sabão, lavar tudo de novo, enxugar e colocar os tachos no fogareiro para a limpeza final, pelando, nas privadas.

Sabiá, ex-motorista da prefeitura que usava o carro oficial para entregar cocaína no centro da cidade, até que se apaixonou por uma mocinha da repartição e foi entregue à polícia pela esposa traída, explica o sistema:

— Passamos vários anos neste lugar; tem que zelar como se fosse nossa casa. Eu limpo hoje e só serei encarregado daqui a 26 dias. Não teria desculpa para não fazer no maior capricho. Outra, também, é que não ia dar certo. Querer bancar o espertinho, entre nós, tudo malandro, ó, nunca tem final feliz.

As roupas molhadas são estendidas na própria cela, em cantos do corredor ou presas a um pau hasteado através da janela. Muitos ganham a vida lavando para fora.

Uma vez, presenciei uma discussão na galeria do pavilhão Cinco porque os fregueses da Jaquelina, uma travesti lavadeira e passadeira presa por aplicar o golpe do suador, segundo o qual seus clientes eram surpreendidos em plena atividade sexual pelo amante dela armado de revólver, descobriram que ela ensaboava as roupas na água da privada. Revoltados, xingaram-na de suja, maloqueira e fubá. Jaquelina, empertigada, com as mãos na cintura, garantia que o boi de seu xadrez era mais limpinho do que a cama em que dormiam aqueles vagabundos sem classe.

Mulheres nuas decoram paredes, armários e, caracteristicamente, a face interna das portas. São escandalosas, recortadas de revistas masculinas, trocadas ou vendidas em pequenas bancas armadas na galeria, expostas ao lado de pacotes de macarrão, pó de café, latas de ervilha e tênis usados. As mais populares são as loiras, de quatro, fotografadas por trás, com o olhar provocante voltado para o espectador. Não há pudor em misturá-las com imagens de santos, Iemanjás, Nossa Senhora Aparecida ou o piedoso Coração de Jesus, em coloridos painéis ecumênicos.

Retratos de homem, jamais; só se for do pai, do irmão ou de artista em cela de travesti. Aqueles que têm mulheres ciumentas ou religiosas recolhem cuidadosamente suas musas na véspera da visita, deixando solitários os santos nas paredes.

Nos xadrezes mais cuidados, o conjunto de cortininhas, tapetes bordados, colchas de retalhos e imagens de santo confere ao ambiente um jeito de casinha caipira.

O xadrez é espaço sagrado. É preciso muita confiança para entrar sem convite na cela de um companheiro. Ainda assim, como diz seu Jeremias, aquele senhor pai de dezoito filhos com a mesma mulher, firme de caráter, cumprindo sete anos desta vez:

— Sem o proprietário estar lá, você não entra. Por mais intimidade que teja ou não teja. É mancada grave! Já vi nego morrer por um pão. O cara tinha muita amizade com o outro, fumou maconha, ficou com larica e entrou no xadrez enquanto o amigo estava no Fórum. Tinha dois pãezinhos; comeu um. O outro voltou e disse que tinha guardado o pão para não ter que comer a janta fria. Pronto: de madrugada, matou ele dormindo.

Surpreendidos furtando, os "ratos de xadrez", como são rotulados, apanham de pau e faca. Chegam na enfermaria dizendo invariavelmente que caíram da escada, ensanguentados, cabeça rachada, o corpo marcado de vergões e facadas superficiais, especialmente na região glútea, castigo imposto quando se decide desmoralizar o contraventor. Dessa forma, os ladrões tornam explícito que seu código penal é implacável quando as vítimas são eles próprios.

— Ladrão que rouba ladrão tem cem anos de perdão, só que quando a gente pega é problema.

SOL E LUA

O dia começa às cinco para a turma que serve o café da manhã. Moram todos juntos, geralmente no segundo andar do pavilhão, e fazem parte da confraria da Faxina, que é a espinha dorsal da cadeia, como foi dito.

Carregam os pães e grandes vasilhames com café em carrinhos de ferro. Pelo guichê das celas trancadas surgem canecas e bules amassados, à medida que o grupo passa. Os inimigos da aurora deixam a vasilha de café no guichê da porta e penduram um saco plástico para receber o pãozinho com manteiga e evitar o suplício de sair da cama.

Ainda no escuro, acendem-se as luzes dos barracos, em silêncio, para respeitar o sono alheio, como explica o Sem-Chance, um mulato franzino que ganhou o apelido de tanto repetir essas palavras no final das frases:

— Tem que ser na manhã. Se acordar cedinho, todo mundo dormindo, se for urinar no boi e der descarga ou fazer qualquer zuadinha, o senhor tem que mudar de xadrez. Acordar vagabundo, é sem chance.

Perto das cinco da manhã, os carcereiros do noturno efetuam a contagem. Para tanto, obrigam a malandragem a pular da cama e postar-se diante do guichê, para ter certeza de que estão todos presentes e vivos antes da entrega do plantão. Segundo um dos funcionários que há anos exerce essa atividade:

— Nessa hora, cara feia ali é mato.

Às oito começa o destranque. A partir das gaiolas dos andares, sai um grupo de funcionários pela direita e outro pela esquerda da galeria. Com um molho de chaves, o da frente abre os cadeados; o que vem atrás retira-os e puxa a tranca. Sons metálicos reverberam pelo corredor. Das celas, como formigas, os homens saem silenciosos.

Nos pavilhões de trabalho, eles rapidamente assumem seus postos. Outros, como os costuradores de bola de futebol, por exemplo, exercem suas atividades no próprio xadrez. Muitas vezes me detive diante deles, admirando a elegância com que costuram. Trabalham sentados, os gomos da bola presos entre os joelhos, e, a palma das mãos protegida por tiras de couro, passam as laçadas com movimentos rítmicos, precisos, para cá e para o outro lado, até o ponto da amarra. É um balé manual.

Embora a vagabundagem empedernida resista no leito, o vaivém é infernal na galeria e na escada gasta pelo uso. Andam invariavelmente depressa, sobem os degraus de dois em dois; mal acabam de descer para o campo, voltam ao xadrez e, de novo, para baixo. Parecem homens de negócios com hora marcada.

O corre-corre sossega lá pelas nove, estranha hora de servir, ou "pagar", o almoço. Como não existem refeitórios gerais nos pavilhões, novamente entra em ação o grupo de faxinas. Com as portas abertas, agora o ritual do serviço é um pouco diferente daquele do café: cada um deve estar em seu xadrez, a galeria livre para a passagem do carrinho com as pilhas de quentinhas ou, quando ainda funcionava a Cozinha Geral, com tachos de arroz, feijão e a mistura de carne com batata e cenoura, o popular "picadão". A presença na galeria nesse momento delicado é interpretada como um atentado à higiene alimentar e punida com severidade.

Uma vez, atendi um grandão, estrábico, cabelo escovinha, cheio de escoriações. Alegava ter caído da cama, mentira evidente pelas características dos ferimentos. A verdadeira história pouco depois eu ouvi do Pequeno, um rapaz de língua presa, de um metro e meio de altura, que deu fim à vida de quatro PMs que, segundo ele, mataram seus pais: enquanto os faxinas serviam o almoço, o grandão, distraído, saiu na galeria com a camisa aberta e uma toalha no pescoço. Imediatamente, um dos faxineiros virou-se para ele:

— Tu é bem folgado, simpatia.

Foi a senha para os outros faxinas empurrarem o grandão para a rua Dez, baterem nele e voltarem ao trabalho, como se nada tivesse acontecido.

O velho Lupércio, maconheiro convicto, conta que no tempo em que havia respeito, nas refeições estendia-se um cobertor Parahyba no chão do xadrez e sobre ele colocavam-se os pratos. Então, o que estava preso há mais tempo naquela cela escolhia o seu; o mais novo era o último a se servir. As regras de comportamento no horário da comida eram rígidas:

— Nessa hora não podia usar banheiro, escarrar, tossir e muito menos chupar dente, que tomava paulada no ato.

No período da manhã se concentra o grosso das atividades esportivas e de lazer: futebol, boxe, capoeira, halterofilismo, música e as aulas. A mais popular é disparado o futebol. Nos jogos, quando a bola mal chutada vai parar na canaleta da muralha, o PM que estiver passando por ali dificilmente a devolve ao campo. A explicação para o descaso — dada por um policial transferido para essa função após a morte de um colega, seguida do fuzilamento de quatro membros da quadrilha que o matara — é vocacional:

— Não entrei na PM para ser gandula de vagabundo.

Os campeonatos são organizados com regulamento que é posto no papel, depois de discussões intermináveis, pelo pessoal da FIFA (Federação Interna de Futebol Amador), um grupo unido de detentos experientes e respeitados, escolhidos por eleição direta entre os times de futebol de cada pavilhão, comandados pelo diretor do Departamento de Esportes, o funcionário Waldemar Gonçalves, que tem o hábito de mascar cravos que ele guarda numa latinha de pastilhas Valda.

No meio de tantos jogadores é possível montar uma seleção geral de bom nível técnico, o que não evita resultados desastrosos contra excelentes times de várzea convidados para enfrentá-los. Essas derrotas ocasionais, embora decepcionem a malandragem, jamais provocam reações desrespeitosas contra os visitantes.

Seu Reinaldo Drumond, um funcionário da portaria, negro, forte como touro, uma vez propôs trazer um time do bairro para enfrentar a seleção da cadeia e justificou para o Waldemar:

— Eu sei que eles vão perder, que o time da malandragem é forte. Mas a minha intenção é fazer que quem está se desviando lá na Vila, pensando em entrar para o Crime, venha ver aonde é que leva essa vida.

Anos atrás, num dos campeonatos para seniores, jogadores com mais de trinta anos, fui convidado a dar o pontapé inicial. Honrado pela escolha, que partiu justamente dos mais velhos na cadeia, não só dei o referido pontapé como procurei assistir aos jogos. Na partida decisiva o time do pavilhão Oito venceu o do Dois, por três a um.

No final, os atletas reuniram-se ao redor da mesinha do representante da FIFA disposta na lateral, bem na metade do campo, para as premiações. Havia um prêmio especial para os jogadores que mais se destacaram no time dos campeões e vices. O Waldemar me passou uma medalha pendurada numa fita azul e branca e anunciou o nome do melhor jogador do time do Dois, o vice-campeão.

Era o Gaúcho, um zagueiro com cara de amazonense, que tinha chegado na periferia de São Paulo havia vinte anos, como assentador de azulejo. Foi bem no trabalho, até fazer amizade com um ladrão da vizinhança e, por causa dele, meter-se numa briga em que perderam a vida dois contendores. Como consequência, fugiu de casa, perdeu o emprego, tudo o que tinha, e acabou sócio do amigo ladrão, que não lhe faltou nessa hora. Depois de lhe pendurar a medalha no pescoço, estendi a mão para cumprimentá-lo. Ele tremia de emoção, o olho úmido apertado para não trair o sentimento, brilhando como o das crianças premiadas na escola primária.

Ao redor de duas, três da tarde, já é servida a janta, obedecendo ao mesmo ritual de faxinas, carrinhos, galerias vazias e respeito obsessivo pela higiene. Dessa hora em diante, quem tiver fome que se vire por conta própria.

Os horários esdrúxulos das refeições justificam-se em função da contagem, que deve acontecer às cinco da tarde. Daí a importância do recorte e a necessidade dos "jumbos":

— O jumbo é a sacolada que a família traz para nós na visita ou deixa na portaria nos dias de semana. Ajuda muito, embora que tem uns cabeça de bagre que passam o jumbo na seda para pagar dívida de droga.

Às dezessete horas, todos são recolhidos a seus andares e as gaiolas são fechadas. As celas permanecem abertas até as sete e meia, exceto as daqueles cujas atividades justifiquem a permanência fora do xadrez, como os faxinas e os enfermeiros, por exemplo.

A tranca é outro dos rituais da cadeia: a galeria está movimentada, cheia de luzes, feijão no fogo, as portas abertas com as mulheres peladas voltadas para o lado de fora, vozerio, pagode no radinho, entra e sai com panelas e roupas. De repente, um funcionário aparece na gaiola do andar e bate seguidamente um cadeado contra a grade ou um cano contra o chão: péim, péim, péim, ritmado, sem parar. Corre cada um para o seu xadrez; depressa, porque a tranca impõe respeito. Em pares os carcereiros começam a fechar: o primeiro pendura o cadeado na alça, o que vem atrás puxa a tranca e trava o cadeado. Tudo rápido, ninguém pode ficar de fora. Vacilou, na primeira vez tem o nome anotado; na reincidência, são trinta dias de castigo na Isolada, inesquecíveis. Os funcionários justificam o rigor:

— Se não for enérgico vira bagunça, doutor. Aqui é tudo malandro, a maioria sem ocupação, a não ser ficar de olho numa vantagem. Se der moleza uma noite, na seguinte o senhor não tranca mais ninguém.

Fechadas as celas, nas galerias ouve-se o barulho de pratos, falatório, risadas, as vozes do *Aqui e Agora* e o *Jornal Nacional*. Depois, gradativamente, as luzes se apagam e o silêncio cai pesado. Mesmo os notívagos que assistem filme até acabar a programação tomam cuidado com o volume da TV, porque sono de malandro é sagrado.

Sem a agitação do dia, sem o sobe e desce e o entra e sai, a cadeia perde a face humana, transforma-se num casarão ermo, galerias escuras e os altarezinhos de Nossa Senhora Aparecida com vela acesa e flor de plástico.

Tarde da noite, andando por esses corredores mal-assombrados, com o silêncio quebrado por uma tosse anônima, o miado de um gato, a porta que bate ao longe, entendi por que os suicídios acontecem de manhã, depois de noites de depressão ou pânico claustrofóbico, espremidos entre os outros, sem poder chorar:

— Homem que chora na cadeia não merece respeito.

Seu Lupércio, criado num orfanato de Poá, vendedor de maconha no varejo que na mocidade foi massagista do São Paulo, diz que perdeu a conta de quantos se enforcaram nas grades das janelas, e acha que as noites ficaram mais calmas depois que permitiram as visitas íntimas.

— Antigamente era pior. O calado da noite era quebrado por gritos que ecoavam pela cadeia inteira. Em seguida, o pessoal começava a bater caneca na grade. Já era: podia o funça vim buscar que alguém tinha sido estuprado.

FIM DE SEMANA

Sexta-feira, deu meio-dia a água corre nos barracos, alaga a galeria e desce a escada aos borbotões. Cheiro de sabão forte, pagodes e sertanejos da periferia misturam-se no corredor com a bateção de rodos e vassouras. A malandragem estende a roupa na janela, arrasta móveis e esconde as mulheres peladas.

Faxineiros com bota de borracha, sob o olhar do companheiro encarregado da faxina do andar, empurram a enxurrada escada abaixo, enquanto os que vêm atrás secam a galeria. Entre eles, ágil, desloca-se o encarregado, enérgico e educado, para impedir que sobre qualquer ilha sem enxugar. Na escadaria, a cascata espumante despenca até a gaiola do térreo e desemboca nas águas pretas que outra coluna de faxinas vem puxando a rodo pela Radial, a avenida que une os pavilhões. Tudo, como diz o encarregado-geral do pavilhão Sete:

— Para as visitas encontrar nós num ambiente mais adequado nos princípios de higiene e civilização.

As famílias madrugam na porta, mulheres na imensa maioria. São namoradas, esposas, irmãs, tias e a inseparável mãe, difícil de abandonar o filho preso, por mais crápula que ele seja. Em dez anos na cadeia, assisti a tais demonstrações de amor materno que, confesso, encontrei sabedoria no dito: amor, só de mãe.

Uma senhora do Paraná, de coque no cabelo e pernas grossas de varizes, viajava seiscentos quilômetros de ônibus a cada quinze dias, religiosamente, para visitar o filho condenado a 120 anos. Quatro anos antes, o rapaz, a convite de um amigo traficante, tinha invadido uma casa cujos moradores ele sequer conhecia e chacinou seis pessoas, acusadas de terem pedido providências à polícia para acabar com a boca de crack de propriedade desse amigo, situada na frente da casa delas. Num domingo, a senhora de coque implorou a um guarda do presídio que cuidasse do menino dela:

— Eu sei que o meu filho fez coisa errada por causa das companhias, mas quando olho para ele, não acredito que ele tirou a vida daquela gente como dizem, vejo ele pequeninho no colo, rindo no fundo dos meus olhos.

Num sábado, no campo do Oito, conheci a mãe do Pirata, uma senhora baixa e encorpada, na ponta dos pés e o dedo em riste no nariz dele. Chefe de uma quadrilha que abordava navios na barra de Santos, encarregado de prender uma corda com gancho na murada por onde subiam com as metralhadoras, o Pirata ouvia a descompostura de cabeça baixa, as mãos entrecruzadas atrás, humilde como um zagueiro diante do cartão amarelo.

As visitas carregam sacolas de plástico abarrotadas; potinhos de plástico com pastéis, maionese, macarronada, calabresa frita e frango assado. Não há a menor preocupação com o colesterol: trazem só o que o preso gosta.

Vêm muitos bebês agasalhados, boa parte deles concebida na própria cadeia. Crianças maiores enfadadas pela inatividade da espera completam o contingente infantil.

É uma população bem heterogênea de gente pobre, que passa horas em pé: senhoras sofridas, crentes de trança, mães de família, morenas de calça justa e loiras oxigenadas que falam e gingam no ritmo da malandragem. Algumas chegam tristes, com seus filhos. Outras trazem cadeiras de armar e cumprimentam a fila inteira.

Como as mulheres sempre encontram assunto entre elas, com o passar das horas a fila engrossa de rodinhas femininas enquanto o pelotão de diabinhos corre, tropeça, derruba sorvete na roupa e toma beliscões no meio delas.

Está longe de ser desprezível o sacrifício dessas pessoas. Uma vez, seu Mavi, diretor do pavilhão Nove, perguntou a um grupo de presos que se queixava da comida:

— Estão reclamando do quê? Comem sem trabalhar; boa ou má, recebem assistência médica e remédio de graça, direito que trabalhador não tem; quando aprontam e um companheiro cisma de matar vocês, nós transferimos para o Seguro. Quem tira cadeia é a família, que sai de casa no escuro com a sacolada, pega três conduções e ainda reúne o dinheirinho ganho com suor para vocês gastarem no crack.

Quando o sol está alto, a horda de ambulantes ataca e a névoa de churrasquinho de gato embaça a calçada. Vendem lataria, bolacha, cocada de tabuleiro, raspadinha de groselha, cachorro-quente recheado com purê de batata e refrigerante de dois litros. Barracas expõem camisetas, tênis usados, alugam paletós para os homens poderem entrar (exigência que ultimamente caiu em desuso) ou vestidos discretos para as mais ousadas, porque o ambiente exige respeito.

Em todos os cantos apregoam maços de cigarro, a moeda oficial atrás das grades. O básico é o Commander, anunciado a 7 reais o pacote de dez. Lá dentro, cada maço vale 50 centavos; Hollywood e Marlboro custam o dobro. O valor do maço obedece à lei da oferta e da procura: entrou muito cigarro, o preço cai; faltou, sobe. Como a oferta flutua de acordo com a condição financeira da família, que, por sua vez, reflete a situação econômica do país, nos períodos de crise nacional as visitas levam menos cigarro e o preço do maço sobe.

No plano Collor, no auge do congelamento, Xanto, um ladrão que ao visitar a tia-madrinha no Pari baleou tanto o tio bêbado que teve a infeliz ideia de espancá-la na frente dele, como os dois primos que tinham vindo em socorro do pai (atirou no peito dos três porque, como reconhece, não saber dar tiro nas pernas dos outros é um de seus defeitos), fez a seguinte análise:

— Isso jamais teria se sucedido entre nós. Já imaginou, uma mocinha chegar aqui e anunciar que a grana nossa, ganhada na luta, tinha congelado? Já era, doutor, não sobrava nem o pensamento na mente dela.

Os pavilhões Dois, Cinco e Oito, do lado esquerdo de quem entra, recebem os familiares aos domingos; os demais, aos sábados. No último final de semana de cada mês é autorizada a visita em ambos os dias: é a "dobradinha".

Os portões abrem às sete, quando a fila já está enorme. É obrigatório passar pelas baias de Revista. A dos homens é mais superficial; as mulheres são revistadas por funcionárias que olham até dentro da calcinha e, quando desconfiam, mandam que a revistada a tire e se agache, para verificar se há corpo estranho na vagina. Por mais tato que as revistadoras possam ter, o exame é constrangedor, especialmente para senhoras recatadas.

Até as onze horas, a fila de entrada anda a toque de caixa, para que todos possam estar fora antes das quatro, horário da contagem geral. Final de semana comum, vêm de 2 a 3 mil pessoas. Quando faz frio aparece menos gente, e com chuva, menos ainda. Páscoa, Dia das Mães e Natal é enorme a multidão que se aglomera.

Na tarde da segunda-feira que antecedeu o Natal de 1997, cheguei no presídio para ver os doentes e já havia uma pequena fila com cobertores, cadeiras e camas de armar. Eram mulheres e crianças que, terminada a visita da véspera, não tinham voltado para casa: postaram-se ali, dispostas a aguardar até o próximo final de semana.

Nos dias que se seguiram, a fila cresceu; as mulheres se revezando, comendo de marmita, usando banheiro nos bares da vizinhança e trocando fralda de bebê ali mesmo, protegidas apenas por uma cobertura rústica de amianto que a direção construiu sobre a calçada nos últimos anos.

Naquela semana, sexta-feira depois do expediente, houve uma cervejada de Natal dos funcionários num bar vizinho. Mais de meia-noite, quando saímos alegres, a fila ia longe, bem para lá do abrigo, passava pelo quartel da PM e chegava no metrô.

Uma mulata de sorriso franco, Zilá, das primeiras na ordem de chegada, disse que estava muito feliz porque o marido fizera chegar a ela uma quentinha com macarronada preparada por ele no xadrez, para inveja das amigas na fila. Zilá tinha uma escadinha de quatro filhas, das quais apenas a mais velha havia sido concebida com o pai em liberdade, seis anos antes. Naquele dia, para lhe fazer companhia e ser apresentada a um parceiro do marido, tinha chegado a Fran, uma vizinha do Taboão da Serra, magrinha, tímida, que podia ter no máximo vinte anos. Apesar de compactuar com as intenções, Zilá desaconselhava a pretensão da amiga:

— É o que eu digo para a Fran: você quer conhecer o Roberval eu te levo, mas não desejo para ninguém o cansaço da fila, a humilhação na Revista, sempre sozinha, morta de saudade, as crianças perguntando quando o papai volta para casa. Só com muito amor no coração uma mulher suporta essa vida.

Ao lado, Fran, o rosto na penumbra projetada pelo poste de luz, concordava com a cabeça, mas pretendia passar a noite ali decidida a conhecer o tal de Roberval, um mulherengo de bigode, sócio do marido de Zilá no negócio de assaltar carga.

As visitas entram através de portinholas que abrem diretamente na calçada, depositam as sacolas diante do funcionário, que as examina, e depois são submetidas à revista pessoal. Tarefa absurda revistar tanta gente; levaria dias para ser executada com rigor.

Essa dificuldade estratégica cria oportunidade para um funcionário articular-se com a visita e fazer vista grossa à entrada de itens proibidos, procedimento arriscado para quem traz e para os que deixam passar. Estes são fiscalizados pelos próprios colegas, como explica um deles:

— Comigo foram contratados mais de duzentos funcionários. Dez anos depois, sobraram cinco ou seis. Com esse salário baixo, alguns se contaminam com o crime e viram pilantras. Só que a gente nunca sabe quem são. Tem que desconfiar de todos, lamentavelmente.

Mais tarde, fiquei sabendo que o desconfiado autor das palavras acima, por sua vez, também despertava desconfiança entre seus colegas. Como diz o dr. Walter, diretor-geral:

— A coisa mais difícil numa cadeia é identificar os que estão envolvidos com os ladrões.

Os visitantes que fazem tráfico de droga para o interior do presídio correm risco. Quando pegos, são encaminhados ao distrito mais próximo, onde é lavrado o flagrante de tráfico; inafiançável. Um domingo, cruzei com uma mocinha de dezenove anos que saía chorando, presa ao entrar com vinte gramas de cocaína para o namorado. Num outro dia, a diretoria substituiu inesperadamente um funcionário da porta e surpreendeu uma visita com 32 quilos de maconha, em duas sacolas. A apreensão causou problemas internos:

— Deixou nós na maior secura. No desdobramento, subiu o preço do crack.

As mulheres que trazem droga, fazem-no para tirar o companheiro ou o filho de um apuro ou para que ele ganhe atrás das grades o sustento da família.

Os funcionários que fiscalizam a entrada parecem cães farejadores movidos por percepções extrassensoriais. Um deles, um mulato grandão com olhar de boi manso, doze anos de portaria, utiliza a seguinte técnica:

— Revisto a sacolada, mas sem descuidar da fila. Quando percebo alguém fora da naturalidade, dou uma olhada rápida nos olhos da pessoa, seguida de outra. À medida que ela (digo *ela* porque quem traz bagulho é quase sempre mulher) começa a chegar perto, meu olhar ganha comprimento. No fim, quando ela põe a pacoteira em cima da mesa, eu nem ligo, meu olhar está fixo dentro dos olhos dela. Quem deve, não resiste, vacila.

Outros estendem a mão para cumprimentar a visita e sentir se está fria, trêmula ou molhada de suor. Com o rabo do olho, não deixam escapar um detalhe da figura humana que se apresenta: a roupa, a ginga difícil de disfarçar, uma tatuagem, os modos e a gíria:

— Se a mulher se aproxima e diz: "Ô, chefão", já sei que é mulher de ladrão!

O olfato é um aliado poderoso dos que guardam a saída: o cheiro da cadeia entranha no homem preso. Difícil definir que odor é esse. Parece mistura de vários outros: alho frito, pano de chão guardado, suor e um toque de creolina. Embora não possa ser classificado como mau cheiro, é desagradável. Quente e pesado. É tão pegajoso que os carcereiros, ao abrir as celas de Castigo, apinhadas, nunca se colocam diante da abertura:

— Não fica na frente da porta, doutor, esse bafo gruda na roupa da gente de um jeito que nem lavando sai.

Os dias de visita exigem atenção redobrada dos guardas. Sair disfarçado de visitante é estratégia tradicional nos presídios. Uma vez, um detento trocou a calça cáqui por um jeans e saiu com um grupo de funcionários. O guarda da porta ficou um pouco atrapalhado — tanta gente trabalha na Casa...

— De que grupo você é?
— Sou do grupo tal, vim de reforço.
— Pediu autorização para o seu Raimundo?
— Lógico!
— Então, malandro, a casa caiu, que nem seu Raimundo não tem!

Outro preso, de estatura baixa, com o mesmo disfarce, deu de cara com um funcionário do tamanho de um guarda-roupa de casal, que um dia eu ouvi atender o telefone identificando-se modestamente: "Aqui é o príncipe negro da Portaria".

Sua Alteza desconfiou da palidez do baixinho:
— Qual é o teu grupo?
— Grupo um.
— E o teu número?
— Número um.
— Tudo número um! Qual é, você é da Brahma, malandro?

Esses casos, que mais tarde viram folclóricos, são punidos com trinta dias de castigo na Isolada, mas não causam revolta:

— Se ele vem na moral, tudo bem, é direito dele. Não prejudicou ninguém, é respeitado. A cara dele é fugir, a nossa é não deixar. Vai para o Castigo, mas sem dosar corretivo. Agora, se vem na forçada, como um que me aguentou no portão com um revólver engatilhado na minha cabeça, mas acabou preso antes de chegar na esquina, aí é outra coisa. Lamentavelmente, foi ele mesmo que pediu.

Lidar com a fila exige habilidade no trato social. É preciso paciência com as pessoas nervosas, ajudar senhoras de idade, as grávidas, e encarar com firmeza as que apelam para a ignorância. Muitos conhecem as líderes naturais do grupo e, por intermédio delas, acalmam as outras nos momentos de tensão. É tarefa para profissionais habilidosos, que sofrem o impacto psicológico do trabalho, como diz o funcionário de olhos mansos:

— Meus colegas me acham tolerante. Para eles pode ser, mas a família se queixa que eu mudei. Antes, eu era caseiro, tranquilo, visitava minha madrinha todo dia, conversava. Depois de doze horas nesse trabalho, chego em casa com a cabeça quente, janto quieto e vou dormir. Nem me lembro da madrinha.

VISITAS ÍNTIMAS

São nebulosas as origens das visitas íntimas. Contam que começaram no início dos anos 80, insidiosamente, com alguns presos que improvisavam barracas nos pátios dos pavilhões nos dias de visita. Outros, mercenários, juntavam dois bancos compridos, cobriam-nos com cobertores e alugavam o espaço interno para a intimidade dos casais.

Na época, as autoridades fizeram vista grossa, convencidas de que aqueles momentos de privacidade acalmavam a violência da semana. Quando surgiram as primeiras queixas de menores engravidadas nesses encontros furtivos, ficou evidente que a situação escaparia do controle. Incapazes de acabar com o privilégio adquirido, decidiram, então, oficializar as visitas íntimas: as maiores de idade podiam subir ao xadrez do companheiro, desde que previamente registradas com identificação e foto. Dessa forma, no melhor estilo Pantaleón e suas visitadoras, personagens de Vargas Llosa, o sexo foi burocratizado na Casa de Detenção de São Paulo e o sistema espalhou-se pelo país.

Cada detento tem direito de inscrever uma única mulher. Esposa, amásia ou namorada, não há exigência de laços legais.

No caso de rompimento, outra só pode ser indicada depois de seis meses. Com jeitinho, porém, esse período às vezes é substancialmente reduzido. Mais de 2 mil mulheres fazem parte do programa.

A rotina é caprichosa: após a revista elas se dirigem ao pavilhão, onde os homens esperam de roupa passada, cabelo penteado e perfume cheiroso. No térreo, numa mesinha, na porta que dá acesso à escada que conduz às celas, fica um funcionário com a caixa de fichas. Os casais fazem fila diante da mesa, a mulher entrega a carteira de identidade, ele confere a foto, prende o documento à ficha com um clipe e o retém até a saída. Da porta para dentro não há carcereiros, os presos administram a própria visita.

Nos pavilhões mais populosos, como o Cinco, o Oito e o Nove, o pátio interno fica tão cheio de gente que os presos sem visita evitam descer para deixar espaço, e como não podem permanecer nas celas ocupadas pelos casais, aguardam em pé, no corredor. A galeria fica cheia de homens.

Quem nunca entrou no presídio imagina que os mais fortes tomem as mulheres dos mais fracos num corredor como esse, cheio de malandros encostados na parede. Ledo engano: o ambiente é mais respeitoso do que pensionato de freira. Quando um casal passa, todos abaixam a cabeça. Não basta desviar o olhar, é preciso curvar o pescoço. Ninguém ousa desobedecer a essa regra de "procedimento", seja a mulher esposa, noiva ou prostituta.

Uma vez, Genésio, um nordestino cicioso que esbanjou nas boates da zona norte o dinheiro roubado em mais de cem assaltos, reconheceu na galeria uma mulher da qual havia sido cliente:

— O companheiro vinha com o braço no ombro dela. Virei de costas para a parede, para evitar que ela me visse e deixasse transparecer. Olha que elegância, doutor!

Num xadrez, caso um único morador receba visita, todo o tempo disponível é dele; se houver vários, o horário é dividido em partes iguais. Não há necessidade de bater na porta; a pontualidade é britânica. Nas celas maiores, com vinte, trinta homens, em que não existe outra possibilidade senão a do uso concomitante, eles improvisam espaços privativos com cobertores pendurados. Para acobertar as manifestações mais exaltadas do arroubo feminino, ligam os rádios bem alto.

Os sem-visita podem alugar o xadrez para companheiros mais afortunados:

— Que nada é de graça numa cadeia.

Se houver disponibilidade econômica e um pouco de conhecimento, é até possível tirar visita em outro pavilhão, expediente utilizado para receber a esposa no xadrez de origem, no sábado, e a namorada em outro pavilhão com visita aos domingos. O número de funcionários é insignificante para coibir a infidelidade.

Por um desses mistérios da alma feminina, são muitos os que arranjam namorada enquanto cumprem pena. Uma vez, o juiz corregedor, de tanto analisar pedidos envolvendo detentos e suas mulheres, queixou-se ao diretor-geral:

— Doutor, o que o preso tem que nós não temos?

Muitas moças vêm visitar um parente e acabam apresentadas ao amigo dele. Outras respondem a correios amorosos de revistas femininas e são convidadas a conhecer o missivista, invariavelmente um rapaz de bons princípios que deu um mau passo e espera encontrar no amor de uma mulher a força para se regenerar.

As visitantes sentem-se protegidas no ambiente. Ao retirar os carcereiros do interior dos pavilhões, a direção sabiamente entregou a administração da visita aos únicos capazes de garantir segurança total. O homem preso tem pavor de perder a mulher amada.

Sem-Chance, ladrão escolado, fala da esperteza do "Ricardão", nome atribuído ao amante da mulher de quem está na cadeia:

— Se na visita não tiver respeito, doutor, elas vão ficar com medo de voltar, onde que uma conta para outra algum fato lastimável sucedido e, daqui a pouco, entre elas: eu não vou mais lá! Se você não vai, eu também não, é perigoso! Pronto, ói nós aqui no maior veneno e elas curtindo lá fora, que Ricardão é o que mais tem, pronto para dar o bote traiçoeiro na fragilidade da mulher solitária. É sem chance.

É preciso saber proceder: jamais cobiçar a mulher do próximo e manter impecável a ordem geral. Não há falta considerada pequena, qualquer deslize é gravíssimo.

Certa vez, um estelionatário de bigodinho bateu na esposa durante a visita e os gritos foram ouvidos nas celas vizinhas. A sorte do agressor foi um funcionário, minutos depois, escutar três rapazes no pátio organizando um grupo para matar o arruaceiro assim que terminasse a visita, e providenciar sua imediata transferência para o Amarelo, setor dos jurados de morte.

A estratégia funcionou apenas em parte: nas primeiras horas da manhã seguinte, em pleno Seguro, o valentão tomou duas facadas. Em estado grave, foi levado para o Hospital do Mandaqui, sofreu cirurgia, passou quatro dias na UTI, perdeu oitenta centímetros de intestino e ganhou uma colostomia, mas escapou com vida. A malandragem se espantou:

— Deu a maior sorte!

Embora participem do programa mulheres de todas as idades, as jovens constituem maioria. Na saída, chama a atenção o número de mocinhas com bebês. Muitas saem de cabelos molhados, denunciadores do banho tomado no xadrez.

O BAQUE

O trabalho no Carandiru começou com um diagnóstico da epidemia. De maio a agosto de 1990, colhemos sangue de 2492 detentos e aplicamos um questionário epidemiológico com perguntas sobre comportamento sexual e uso de drogas, entre outras.

Pela manhã, ao abrir as celas, os funcionários convocavam de setenta a oitenta homens que iam escoltados para o pavilhão Quatro e aguardavam trancados na gaiola do térreo, para evitar encontro com desafetos. Da gaiola, em grupos de dez, eram encaminhados ao laboratório para tirar sangue e responder ao questionário.

O estudo foi realizado com o auxílio decisivo de seis presos do pavilhão Quatro, entre eles, os responsáveis pela coleta de sangue, ex-usuários de cocaína injetável para os quais não havia acesso venoso impossível; na falta de opção, puncionavam vasos invisíveis no cotovelo. O mais habilidoso, de cabelo crespo e olhos rápidos, que ria fora de hora, preso por assaltos em parceria com a mulher do melhor amigo, que quis matá-lo quando descobriu a cumplicidade dos dois, justificou com modéstia o elogio que lhe fiz:

— Doutor, quem já injetou cocaína no escuro, com agulha sem ponta, lavada na chuva do telhado, colher sangue com esse material descartável que o senhor traz é até covardia da parte nossa.

Os resultados mostraram que 17,3% dos presos da Detenção estavam infectados pelo HIV. Entre eles foram identificados dois fatores de risco significantes: uso de cocaína injetável e número de parceiros sexuais no ano anterior à pesquisa. Ao lado destes, estudamos um grupo de 82 travestis presos na Casa e constatamos que 78% eram portadores do vírus. Dos que se achavam há mais de seis anos no presídio, 100% tinham o teste positivo.

No trabalho com os travestis, encontramos o caso da Sheila, condenada a três anos e dois meses por ter comprado eletrodomésticos para o casamento de um ex-namorado (pelo qual ela, boba, ainda estava apaixonada) com o talão de cheque roubado de um pastor protestante que a tinha contratado na avenida. Seios enormes, blusa com nó acima do umbigo, Sheila confessava na presença de testemunhas mais de mil parceiros sexuais na Casa de Detenção no decorrer do ano anterior à pesquisa. Com eles havia praticado sexo anal receptivo, desprotegido, a prática sexual associada ao mais alto risco de transmissão da AIDS. Ela era HIV-negativa, teste repetido e confirmado no Laboratório Bioquímico de São Paulo e no de Retrovirologia da Cleveland Clinic dos Estados Unidos, demonstrando que algumas pessoas não se infectam mesmo após inúmeras exposições ao vírus.

Quase ao mesmo tempo, um grupo da USP conduziu estudo semelhante com os detentos no dia em que chegavam para triagem no pavilhão Dois. Os resultados obtidos foram muito próximos dos nossos, sugerindo que a grande maioria das infecções acontecia na rua, antes da prisão. Na época, a moda era cocaína injetável. Nos cantos do presídio, os carcereiros achavam seringas e puniam os donos. Quando o batalhão de choque da PM revistava as celas, ao lado das facas apreendidas empilhavam um monte de seringas usadas.

Chocolate, um ladrão azarado do Jardim Bonfiglioli que roubou, sem saber, a casa da namorada do tio traficante e tomou uma surra de corrente pelo engano, e depois assaltou uma outra sem ter ideia de que era do filho de um delegado, contou assim uma visita do Choque:

— Os homens entraram com cachorro e metralhadora. Abriram a porta do xadrez e deram voz para a gente sair pelado, colar as mãos na parede da galeria e não olhar direto na cara deles. Acharam uma grinfa ainda com sangue dentro, debaixo da cama do Coça-Coça. Nem indagaram pelo pai da criança, já saíram dando paulada em nós todos, com a pastorzada pegando doído.

A repressão, contraditoriamente, favorecia a disseminação de hepatite e AIDS, pois estimulava o uso comunitário de seringas e agulhas, que podiam ser alugadas ou vendidas já cheias de droga para usuários que as injetavam em frações proporcionais à quantia paga, sem qualquer cuidado, a agulha passando direto da veia de um para o braço do outro.

Com caneta bic usada e havaiana velha, um ladrão de fala mansa, marido de uma mulher bonita da qual ele morria de ciúmes, chamado Chico Ladeira, preso por seguranças armados de metralhadora num assalto a um templo da igreja Universal, ganhava bom dinheiro fabricando seringa:

— Pego a bic e tiro a carga. Esqueço uma agulha de injeção, que eu consigo por meios próprios de mim mesmo, e encaixo na ponta da caneta, que com o calor derrete o plástico e gruda firme. O êmbolo eu faço com uma borrachinha redonda cortada da alça da havaiana, fincada na ponta de um arame duro. Firmeza, dou garantia. Se vazar pode devolver que eu troco.

Muitos traziam nos braços o estigma da dependência: trajetos venosos esclerosados e cicatrizes de abscessos bacterianos. Além dos usuários ocasionais, havia os chamados "baqueiros", subjugados pelo vício, assustados nas galerias, olhando para trás, para os lados e até para o teto como se algo fosse lhes cair sobre a cabeça, vítimas do delírio persecutório que inferniza o usuário crônico de cocaína.

Coça-Coça, que ganhou o apelido por causa de um amigo que o surpreendeu na zona pedindo para a prostituta passar as unhas em suas costas, descrevia assim esse delírio:

— Eu tomava baque na casa de um considerado meu que vivia amigado com uma mulher feia como a fome. Quando nós estava são, ó, o maior respeito! Era só injetar farinha na veia que ele entrava numa que a gente tinha que sair correndo, porque senão eu comia a mulher dele. Nós corria até perder o fôlego, aí o barato abaixava e a gente raciocinava: pra que isso, parceiro? Aí, voltava para casa, normal, na amizade, e tomava outro baque. A paranoia retornava tudo de volta e a gente tinha que correr de novo. Quando a farinha estava pela hora, nós chegava tão cansado que caía no chão, ridículo, sem força.

A situação era grave. Havia uma epidemia de cocaína injetável no presídio, reflexo da que se disseminava na periferia de São Paulo e de outras cidades brasileiras.

Uma vez assisti a um ritual de cocaína injetável, ou "baque", ao redor de uma mesinha, durante a gravação de um vídeo educativo, num armazém abandonado. Eram quatro participantes: um jamaicano negro de rosto comprido, recém-saído da cadeia, que dizia ter sido preso injustamente ao visitar amigos colombianos de Medelín num hotelzinho da rua Aurora; um filho de árabes envelhecido precocemente; um magrelo de dentes estragados pai de dois filhos, que assaltava bilheteria de metrô; e um nissei da máfia que explorava lenocínio nas boates da Liberdade, o bairro oriental de São Paulo.

Cada qual chegou com o pacotinho de cocaína enrolada em papel-manteiga e uma seringa pequena com agulha fina, dessas de insulina para diabético, fundamental para evitar marcas nos braços. Colocaram três copos de vidro no centro da mesa: um vazio, outro cheio de água da torneira e um terceiro com água fervida; entre eles, uma colher de sopa bem lavada.

O jamaicano encheu um terço da seringuinha no copo com água fervida, enquanto o japonês explorador de mulheres derrubava uma dose de cocaína na colher seca. O jamaicano esvaziou a seringa na colher e com o protetor da agulha dissolveu o pó no líquido, elogiando a qualidade daquela partida que se diluía facilmente. À direita dele, o japonês, mudo, apertava com força os músculos do braço, os olhos fixos nas veias expostas.

Com a seringa, o aplicador aspirou o pó diluído na colher e introduziu a agulha bem devagar na pele do oriental impassível, até o sangue refluir vermelho. Como parte do ritual que eu desconhecia, injetou apenas um quarto do conteúdo da seringa e aspirou com o êmbolo um volume de sangue igual ao do líquido injetado. Em seguida, repetiu a operação de injetar e aspirar várias vezes. O japonês mantinha os olhos arregalados na seringa, fascinado pelo entra e sai de sangue em seu interior. A administração durou dois ou três minutos, após os quais o explorador de mulheres levantou-se e começou a falar incoercivelmente, enquanto o árabe de rosto enrugado fazia saltarem as veias do antebraço.

O procedimento repetiu-se idêntico com os outros dois participantes: diluição do pó na colher, introdução lenta da agulha, fluxo e refluxo de sangue, olhar vidrado na seringa, agitação e monólogos concomitantes.

Para minha surpresa, entretanto, o efeito da injeção era efêmero. O aplicador ainda estava com a agulha na veia do magrinho de dentes estragados, o terceiro da roda, e o nissei ansioso já garroteava o braço de novo. Enquanto este tomava o segundo baque, era a vez do árabe ficar agitado, depois do banguela e assim sucessivamente, num frenesi de intensidade crescente que só terminou quando o último grão de pó foi consumido.

Completada a primeira rodada, antes de iniciar a segunda o jamaicano lavou a seringa suja de sangue no copo com água da torneira e a esvaziou no copo inicialmente vazio. Depois de repetir duas vezes a operação de limpeza, o aplicador voltou a carregar a seringa no copo com água fervida para diluir a nova dose de pó na colher. No final, o copo inicialmente cheio de água da torneira estava quase seco e o outro, vazio no início, continha uma solução tinta de sangue venoso.

Era a festa do HIV. Embora cada um trouxesse a própria seringa, bastava alguém na roda estar infectado para espalhar o vírus na água da lavagem das seringas e, ainda, contaminar a colher que todos usavam. Talvez por isso mais tarde eu tenha encontrado tantos ex-usuários com AIDS que juravam nunca haver utilizado seringas alheias.

Quando acabou, os baqueiros continuavam falando sem parar nem ouvir, a boca seca pelo efeito do alcaloide tantas vezes injetado. No final, enquanto recolhíamos o equipamento, vi o banguela pai de dois filhos pegar da mesa o copo com a solução sanguinolenta, subproduto da limpeza das seringas, e levá-lo à boca sem abalar os que estavam a seu lado.

— Não bebe isso! — gritei.

Ele não entendeu e começou a tomar o líquido grosso de sangue. Até eu conseguir deter-lhe o braço, bebeu pelo menos metade do copo:

— Olha o que você está bebendo, cara, isso é sangue puro!
— Nossa! Nem percebi, pensei que era água.

NO CINEMA

Então, vieram as palestras do cinema. A Casa tem um enorme salão cimentado, no segundo andar do pavilhão Seis, para mais de mil ocupantes, onde antigamente funcionou o cinema, destruído numa rebelião. Ali nós reuníamos trezentos ou quatrocentos presos, montávamos um telão com equipamento de som, passávamos vídeos educativos sobre AIDS e eu respondia às perguntas da plateia.

O trabalho de montagem ficava por conta de dois funcionários da UNIP, o Roberto e o Luís, ajudados por uma equipe de detentos coordenada pelo Gerson do pavilhão Oito. Com o passar do tempo, Roberto e Luís ganharam popularidade na Casa, o primeiro apelidado de PC pela malandragem devido à semelhança física com o personagem trágico de Alagoas.

Deslocar tantos homens do pavilhão de origem para o cinema e levá-los de volta ilesos não era simples. A operação, comandada pelo Waldemar Gonçalves, funcionário responsável pelo Departamento de Esportes, começava às oito da manhã. Os xadrezes dos andares cujos ocupantes desceriam para assistir à palestra eram destrancados antes dos demais e a malandragem dirigia-se para o pavilhão Seis. No final, lá pelas onze horas, percorriam ordeiros o trajeto de volta.

Uma semana após a outra, durante anos, centenas de presos indo e voltando, muitas vezes cruzando com inimigos de morte, e jamais ocorreu qualquer incidente. Entre os ladrões, havia um pacto de respeito ao cinema das sextas-feiras.

Hernani, um falsário, ou "171", como prefere a malandragem, que se gabava de ser mais perigoso com a caneta do que os companheiros de revólver, justificou a tranquilidade do ambiente:

— O senhor, o Luís e o PC vêm fazer uma coisa boa para nós. Se algum mano criar caso, um acerto de conta, uma palhaçada, vai se colocar contra o bem geral. Aí é problema! Precisa desprezar o apego na vida.

Os homens chegavam em grupos. Boa parte, por princípio, ia direto para o fundo e sentava no chão, mesmo que houvesse lugar à vontade nos bancos da frente. No telão, enquanto entravam, passávamos vídeos de cantores populares. Ouviam atentos, marcando o ritmo no balanço do pé, discretos. Dançar ou mexer o corpo, jamais:

— Que onde já se viu malandro rebolar na frente do outro!

Lá pelas nove horas, parávamos a música, acendíamos as luzes e eu subia ao palco para dizer o seguinte:

— Atenção, malandragem, existe uma epidemia de AIDS na Casa. Os companheiros de vocês ficam magros, enfraquecem, vão para a enfermaria do Quatro e nunca mais voltam. Nós vamos passar um vídeo e depois responder perguntas sobre a doença. Não conversem agora. Nada é mais triste na vida de um homem do que acabar seus dias numa cadeia.

Durante as primeiras palestras, seu Florisval, o diretor de Disciplina, postava-se no palco, de costas para mim, e encarava a plateia. Um dia, pedi-lhe que não se preocupasse e fiquei sozinho com os presos. Deu certo, comecei a me entender melhor com eles.

Enquanto passava o vídeo de AIDS, às vezes ouvia-se conversa no fundo da sala. Uma das manhãs, durante a projeção, no escuro, resolvi cruzar o cinema e sentar lá no fundo, entre eles, só para ver se a conversa parava.

Fui, movido por uma sensação racional de confiança, mas estava com medo. Atravessei o cinema devagar. Quando cheguei nas últimas filas, a conversa calou. Sentei no chão, no meio dos ladrões, e fiquei assistindo ao vídeo. Tinha as mãos geladas e os batimentos cardíacos acelerados. Veio a sensação de que alguém pularia por trás para me esganar. Controlei o medo e resisti até o final. Então, levantei e voltei sem pressa para o palco. No caminho, notei que aquele andar não era bem o meu: tinha um toque da malandragem nas ruas do Brás. Na semana seguinte, repeti a experiência. O medo voltou bem menos intenso. Na terceira vez, o medo acabou.

Terminado o vídeo, eu respondia às perguntas feitas num outro microfone com fio comprido levado pelo Santista, um ladrão que dizia ter aproveitado a vida: fechava a boate, pagava bebida para todos, depois ia cheirar cocaína no motel com as moças da casa e, generoso, cobria o corpo delas com dinheiro roubado:

— Eu era o rei da noite, todas queriam sair comigo.

As dúvidas e as questões levantadas eram concretas. AIDS para eles não constituía preocupação teórica, era problema prático. Queriam saber os cuidados com as secreções corpóreas dos doentes, o risco de transmissão para os familiares, os sintomas iniciais e o tempo de evolução da doença.

Após a última resposta, em dois minutos, no máximo, eu resumia três ideias essenciais. Primeira: a solidariedade com o companheiro de xadrez, doente, não representa risco porque AIDS não se transmite no contato casual. Segunda: sem camisinha, o vírus passa do homem para a mulher e da mulher para o homem, e nas relações homossexuais o parceiro ativo também corre perigo. Terceira: todos os que tomam droga na veia vão pegar o vírus, é questão de tempo.

No fim, eu acrescentava em tom evangélico: quem não consegue escapar do inferno da cocaína, engole, faz supositório, fuma, mas baque na veia não, pelo amor de Deus!

A recomendação para substituir a via injetável era deixada para o final porque, no desfecho, quando eu insistia que fumassem em vez de injetar, explodia uma salva de palmas permeada por longos assobios, o que criava um clima apoteótico para a minha saída da sala.

Na época, esta última mensagem sobre a cocaína injetável foi dada assim porque me parecia ridículo, naquele ambiente, repetir slogans ingênuos do tipo "diga não às drogas". A razão de tantos aplausos, no entanto, eu só compreenderia em toda a profundidade bem depois, quando ficou claro que o crack varreria a cocaína injetável da cadeia.

A tarefa de tirar da cama centenas de malandros, antes das oito, para assistir a um vídeo educativo seguido de recomendações médicas, considerada irreal pelos funcionários mais experientes, foi facilitada decisivamente pelo Hernani, um senhor de cabelo grisalho, especialista no golpe da arara, através do qual montava firmas fantasmas para quebrá-las e dar calote na praça:

— Doutor, acordar vagabundo é um problema problemático. Por que o senhor não deixa passar um vídeo erótico no final da programação? No esgano que a moçada se encontra, vai lotar o cinema.

Fizemos um teste. No final, depois que eu saía da sala, entrava um vídeo de erotismo explícito. A estratégia de misturar música, medicina preventiva e sexo foi imbatível: um sucesso de público. Pode dar certo em outras cadeias, desde que sejam tomadas duas precauções: não permitir a entrada para assistir apenas ao último vídeo, pois a programação é um pacote indivisível, e, o mais importante, o filme erótico só começa quando o médico sai da sala.

Já nas primeiras palestras fiquei surpreso com a consideração que os homens demonstravam por mim. Nas perguntas usavam termos e expressões como "sexo anal", "penetração", "prostituição", "homossexuais" ou "mulheres de cadeia" — jamais uma palavra grosseira; palavrão, nem pensar. Certa ocasião, ao interromper um vídeo da Daniela Mercury para colocar o de AIDS, uns três ou quatro do fundo assobiaram por brincadeira, como fazem os alunos de cursinho. Essa pequena manifestação deu o que fazer para o Waldemar Gonçalves convencer o pessoal que ajudava na montagem do equipamento a não esfaquear os assobiadores. Santão, um mulato musculoso cumprindo dezoito anos por assalto a banco, que ajudava a montar o equipamento de som, era dos mais revoltados:

— Qual é a desses caras, meu, querer zoar o médico que vem conscientizar os manos do perigo dessa praga e dar uma distração para a coletividade? Eles não estão tirando o doutor, estão tirando nós!

Na semana seguinte, antes de começar a palestra, o Benê, um filho de alcoólatra que odiava bêbado e baleou dois deles numa padaria de Parelheiros porque importunaram uma moça que ele nem conhecia, homem de poucas palavras e moral suficiente para apitar a decisão do campeonato interno de futebol daquele ano, apareceu com três jovens:

— Doutor, os manos aqui querem trocar uma ideia com o senhor.

O mais velho dos três, que na adolescência teve o olho esquerdo vazado por uma bala perdida, falou de cabeça baixa e com as mãos cruzadas atrás:

— Em nome meu e dos parceiros aqui presentes, junto, a gente veio pedir desculpa muito pelos assovios. Não foi por mal, mas se os companheiros entenderam que sim, quem somos nós para discordar.

Essa aura de respeito sincero em torno da figura do médico que lhes trazia uma pequena ajuda exaltou em mim o senso de responsabilidade em relação a eles. Com mais de vinte anos de clínica, foi no meio daqueles que a sociedade considera como escória que percebi com mais clareza o impacto da presença do médico no imaginário humano, um dos mistérios da minha profissão.

RITA CADILLAC

Fizemos um concurso de cartazes de prevenção à AIDS patrocinado pela UNIP, com prêmio de mil dólares convertidos em maços de cigarro, a moeda local, dividido entre os cinco ganhadores. O Waldemar Gonçalves, do Esporte, e um grupo de presos dos postos culturais dos pavilhões distribuíram cartolina branca e pincel mágico preto. Cópias dos melhores cartazes foram posteriormente afixadas pela cadeia inteira.

O primeiro colocado desenhou uma camisinha, dentro da qual havia uma seringa pingando sangue. Embaixo, os dizeres: "AIDS você pode evitar".

Tantos cartazes de AIDS e nunca vi alguém unificar com tanta propriedade a ideia do preservativo e da seringa numa mensagem única, como fez o vencedor, um magrinho com dentes em péssimo estado que tinha parado de estudar na escola primária e cumpria cinco anos, por pequenos assaltos em parceria com o primo mais velho na região do largo Treze, zona sul de São Paulo.

Os prêmios foram entregues numa tarde de calor intenso, no cinema do Seis. Estavam presentes mais de mil detentos. Para abrilhantar a cerimônia, o Waldemar convidou Rita Cadillac, ex-chacrete que encantava os homens diante da TV, sábado à noite. O pagode ficou por conta do Reunidos por Acaso.

Depois da quinta música, o mestre de cerimônias, Demétrio, um senhor careca com anel no dedinho, viciado em corrida de cavalo, anunciou com voz melosa:

— Prezados reeducandos deste estabelecimento penal, o humilde locutor que vos dirige o verbo tem a honra de anunciar esta grande artista figurativa da televisão. Musa indomável da arte dançarina. Aquela que foi a bailarina crooner do impredizível Chacrinha, que Deus o tenha. Neste momento festivo, convido para adentrar ao palco a madrinha da Casa de Detenção: Rita Cadillac!

As últimas sílabas dos dois nomes próprios saíram intermináveis.

De saia justa, Rita subiu decidida, os seios balançando na blusa entreaberta. Uivos e suspiros na plateia.

Com sorriso malicioso ela encarou o público, fez um sinal para os músicos e caiu no samba. Mulher sensual, requebrado maravilhoso!

Excitada, a massa gritava:

— Vira, madrinha! Vira, Rita, pelo amor de Deus!

Ela, desentendida, continuou seu bailado lascivo de frente, no máximo de lado, para os homens suplicantes:

— Vira como a gente gosta! Vira, Ritinha, só uma vez!

Quando os gritos atingiram o clímax, Rita, de saia preta, ar de colegial, levou a ponta do dedo indicador ao lábio e com a outra mão desenhou um círculo imaginário, como a consultar o desejo da malandragem.

— Isso, vira! Agora, madrinha, mata nós!

Suada, dois botões desabotoados, ela afinal fez a vontade dos fãs.

Imediatamente as vozes calaram. Silêncio total.

No pagode do Reunidos, o cantor, de cavaquinho, atacou o estribilho de sua autoria:

— "Liberdade é você, o nosso amor e um barraco para nos aquecer."

De costas para o público extasiado, no ritmo, suas cadeiras começaram um movimento sinuoso de amplitude crescente. Quando esta atingiu o grau máximo, Rita Cadillac, com a mão na nuca e a outra abaixo do umbigo, dobrou gradativamente os joelhos sem afrouxar o rebolado, até as coxas ficarem paralelas ao nível do palco. Resistiu longo tempo requebrando nessa posição, de salto alto e costas eretas. Depois tomou o caminho inverso ao da descida. No meio do percurso para cima, quando as coxas atingiram 45 graus em relação ao palco, subitamente sua bunda estancou no ar, por segundos. Rosto de perfil, o queixo sobre o ombro, mão esquerda levantando o cabelo do pescoço molhado, as cadeiras, afinal, deram o tranco definitivo para o alto e, artista, saiu na direção do pandeiro, para o delírio total da malandragem, que quase pôs abaixo o velho cinema. Com todo o respeito.

ATROPELO NA DIVINEIA

Com frequência, ao terminar as palestras, os presos me paravam no corredor para expor problemas de saúde. Queixavam-se de febres noturnas, fraqueza, ínguas, tosse, lesões de pele e moléstias venéreas. Vinham magrinhos, com fôlego curto e sintomas característicos da fase avançada da AIDS.

Impossível resolver seus casos naquelas consultas-relâmpago, palpar pescoços, olhar gargantas inflamadas ou feridas nos genitais, em pé, no meio dos curiosos. Não havia como evitar essas abordagens ou deixar de me envolver com os dramas individuais. Às vezes, uma afecção banal como o sapinho, igual ao da boca dos bebês, fácil de curar com alguns comprimidos, impedia o doente de engolir até saliva. Gente com sintomatologia sugestiva de tuberculose automedicava-se com inúteis vitaminas e mastruz, uma erva à qual atribuem propriedades medicinais.

A assistência médica no presídio era precária para enfrentar uma epidemia como aquela. Para cuidar dos 7 mil prisioneiros, havia dez médicos, se tanto. Os baixos salários e a falta de condições de trabalho haviam corroído o ânimo da maioria, de tal forma que poucos, deste grupo já pequeno, exerciam a função com dignidade.

Nessa fase, eu saía da cadeia com um misto de impotência e culpa. De um lado, não conseguia esquecer o olhar encovado dos doentes; de outro, o que tinha eu a ver com aquilo? Já não bastavam o tempo gasto com as palestras e o risco de andar naquele meio? Além disso, muitas das expressões que me sensibilizavam como médico possivelmente nunca haviam demonstrado complacência diante de suas vítimas indefesas, na rua.

O impasse tinha duas soluções: parar de ir à cadeia ou encontrar um horário para atender os doentes, organizadamente.

Prevaleceu a segunda alternativa. Aquele mundo havia entranhado em mim, era tarde para fugir dele. Como médico, não me cabia julgar os crimes dos pacientes, a sociedade tinha juízes preparados para essa função. Além disso, fazer medicina naquele lugar, só com o estetoscópio, como os médicos antigos, após tantos anos de clínica apoiada em exames laboratoriais e imagens radiológicas, era um desafio.

Uma manhã de inverno, subi até o quinto andar do pavilhão Quatro para acertar os detalhes com o dr. Mário Mustaro, o chefe do serviço médico da Casa, por coincidência meu ex-professor de bioquímica na faculdade. Falamos da burocracia interna, das patologias mais prevalentes e conheci meu primeiro enfermeiro, Edelso, um rapaz com jeitão de classe média, preso por roubo de automóvel e exercício ilegal da medicina.

Estávamos nessa conversa quando entrou um funcionário:

— Doutores, precisam sair rápido. Três presos fizeram refém no pavilhão Cinco e estão vindo para a frente, na direção da Divineia.

Na escada, o médico-chefe, mais de trinta anos de serviço público, aconselhou-me:

— Vê como é? As instalações são precárias, falta material, remédio, pessoal, tudo, e quando alguém tem boa vontade, esbarra no problema disciplinar. Quer um conselho? Não perde tempo com isso aqui.

Descemos depressa. Ele saiu para a portaria e eu, curioso para ver a confusão, aproveitei um pretexto e fiquei para trás com um guarda que me pôs a par do acontecido.

Cada um com sua faca, três presos do Amarelo tinham agarrado o carcereiro:

— É o seguinte, chefão: reagiu, morreu!

Com o refém em ponta de faca, desceram até o térreo e saíram do pavilhão. A malandragem abriu espaço no pátio. Na porta que separa o Cinco do Dois, o porteiro percebeu a situação do colega:

— Passam só os três e eu tranco de novo. O resto fica!

Deu um tempo para destrancar. Enquanto isso, os detentos que estavam no pátio do pavilhão Dois puderam ser recolhidos e a porta da gaiola interna foi fechada.

Um mulato, baixinho e troncudo, de camisa aberta, à direita do refém, com uma das mãos segurou-lhe o braço esquerdo passado por trás das costas e, com a outra, encostou-lhe uma lâmina de 30 centímetros contra o tórax. Do lado oposto, um branco de cabelo desgrenhado, dentes falhados na frente, mantinha posição simétrica à do mulato, de modo que o funcionário, lívido, ficava com os braços cruzados por trás do corpo e uma faca de cada lado do peito. O terceiro, musculoso de malhação, puxava o refém pela gola da camisa e espetava-lhe, de leve, embaixo do queixo, uma lâmina pontiaguda.

Percorreram a Radial, que liga os pavilhões, e pararam diante do portão do Dois, que dá para a Divineia. A essa altura, na muralha, três PMs movimentavam-se nervosos com as armas para atirar. Na Divineia, um grupo de funcionários mais velhos tomou posição.

Negociação tensa para abrir a porta de acesso à Divineia; escorria sangue do queixo do carcereiro rendido. Os ladrões exigiam transferência para outro presídio, a PM esperava uma brecha para atirar e os funcionários para cair em cima. Mútuas ameaças de morte, porta trancada, gritaria e indecisão.

Dada finalmente a ordem, apenas o portãozinho de pedestres foi aberto — passagem estreita para dois, impossível para quatro. Os funcionários em círculo ao redor do portão abriram alas.

O fortão, musculoso, passou antes com a faca no queixo do carcereiro, o mulato e o descabelado ficaram para trás. Descuido grave. Um PM da muralha engatilhou. Com o ruído, o mulato, ato reflexo, abaixou-se. O descabelado que vinha atrás dele foi obrigado a parar. Como que ensaiados, dois canos metálicos cantaram no ar. No susto, o musculoso voltou-se para trás, afrouxando a faca ensanguentada. Descuido fatal. O refém agarrou o braço do algoz e imobilizou a arma.

Em volta dos três formou-se uma aglomeração de calças jeans. Impossível ver detalhes.

Quando tudo acalmou, o funcionário-refém, branco como cera, fascies doloroso, saiu carregado pelos colegas, com o pé direito fraturado de vingança. O mulato e o musculoso, cheios de equimoses, foram embolados num carrinho de mão usado para transportar tachos de comida. O descabelado, camisa em frangalhos, sangue escorrendo na fronte, olho direito fechado por um inchaço vermelho, incapaz de dar dois passos em linha reta, vinha ao lado do carrinho. Vendo-o trôpego, na direção da enfermaria, um funcionário recém-chegado na Divineia gritou:

— Ainda consegue andar, ladrão? Os colegas têm coração mole!

BEM-VINDO

Na semana seguinte a essa tentativa de transferência frustrada pela ação dos funcionários de coração mole, voltei ao pavilhão Quatro.

O elevador estava quebrado, subi as escadas até o quinto andar, segui o corredor e saí na enfermaria. Era uma galeria com doze celas de um lado e dez do outro, uma copa no fundo à esquerda, um banheiro grande com mais azulejos despregados do que assentados na parede e três chuveiros elétricos, dos quais apenas um esquentava.

Neste, sob a água que escorria em pingos grossos, um preso sem camisa, com cara de boxeador, esfregava um trapo ensaboado nas costas esqueléticas de um doente e, com a outra mão, agarrava-o pela axila para mantê-lo em pé. O paciente tinha uma ferida cruenta no rosto, extensa, que pegava toda a região frontal direita, avançava sobre as pálpebras, encobria completamente o olho e descia pela face, provocada por Herpes-zoster, um vírus oportunista frequente nos casos de AIDS. Aquele enfermeiro-pugilista amparando sem jeito o doente bambo com o rosto desfigurado, parecia cena de filme macabro.

Os quartos, na realidade, eram celas comuns caiadas de azul-ingênuo na metade de baixo e branco na de cima, pé-direito alto, claras de dia e com uma luz mortiça à noite. No interior deles, um catre metálico, colchãozinho de espuma cortada à faca, privada, pia e mais nada. Na parede oposta à porta maciça, uma janela gradeada com os vidros quebrados.

No espaço exíguo entre a cama e a parede, os doentes amontoavam algumas peças de roupa, um par de tênis, o chinelo, sacos plásticos com comida, banana, pão amanhecido e a caneca do café.

Alguns pareciam bem de saúde; recuperavam-se de cirurgias após tiroteios, facadas, problemas ortopédicos, queimaduras por água fervente derramada por desafetos, crises de bronquite asmática e dermatites. Outros, emagrecidos pela tuberculose epidêmica no presídio, perambulavam de bermuda e chinelo rider, enchendo a galeria de acessos de tosse e bacilo de Koch. Nas camas, enrolados em cobertores ordinários, jaziam homens febris, caquéticos, a mucosa da boca coberta de sapinho, dispneicos, molhados de urina, em fase terminal de evolução da AIDS. Tinham o olhar resignado que a morte impõe quando chega devagar.

Com o Edelso e mais dois detentos, passei a primeira visita. No final, entrei no quarto de um rapaz de Santo André, ladrão de automóveis, pele e osso, que tossia incoercivelmente e cuspia uma secreção sanguinolenta. O escarro tingia o chão de vermelho rutilante, não havia onde pisar.

— Você não pode cuspir assim! Está com tuberculose, quem entra aqui, pisa e espalha a doença pela enfermaria.

— Doutor, se as tosses fossem menas e a força mais, eu podia se erguer para cuspir na pia, mas do jeito que eu estou ruim do fôlego não tem condições.

Paramos, os enfermeiros e eu, na saída da enfermaria, junto a ouvidos curiosos. Expliquei-lhes que o bacilo da tuberculose está presente no escarro e nas gotículas invisíveis espalhadas no ar pela tosse, e que o risco de transmissão naquele ambiente era real, inclusive para nós mesmos.

Terminei de prescrever, dei algumas orientações e me despedi. Um dos enfermeiros, Juliano, fortão, de bigode, que puxava a perna esquerda atingida numa emboscada em que perderam a vida um irmão e outro parceiro, acompanhou-me até o elevador:

— Bom descanso, doutor. O senhor volta?

Fui para casa com medo de pegar tuberculose.

O IMPACTO

Naquela época, eu tinha vinte anos de experiência clínica com doentes graves e terminais, e a impressão de conhecer o ambiente da cadeia. Mesmo assim, fiquei chocado. Passei a semana introspectivo e desinteressado dos acontecimentos sociais, as lembranças da enfermaria indo e voltando. Minha mulher disse que nunca me viu tão calado.

A introspecção, no entanto, não refletia a tristeza que como médico talvez eu devesse sentir diante daquela miséria humana. A perspectiva de penetrar fundo o universo marginal, embora assustadora, era tão fascinante que para dizer a verdade eu estava feliz, excitado com aquele trabalho e apaixonado pela medicina, profissão caprichosa como a mulher amada, capaz de despertar crises inesperadas de paixão pela vida inteira.

Comecei a estudar tuberculose, que eu não tratava desde os anos 70, quando pensávamos que a moléstia seria erradicada do Brasil a curto prazo. Durante muitos dias, ao lembrar da cadeia, reconhecia sensações interiores que me remetiam à infância correndo atrás de balão, no Brás. A vida pulsava mais forte.

Voltei na semana seguinte e reuni o trio de auxiliares: o falso médico Edelso, Juliano, que puxava a perna, especializado em bancos e carros-fortes, e Pedrinho, um tipo de barba cerrada e passado misterioso, com três balas alojadas no tórax, condenado a 22 anos. Antes de ir para a enfermaria, ensinei-lhes como administrar a medicação contra a tuberculose e os cuidados gerais com os pacientes. Eles ouviram interessados, fizeram perguntas e deram sugestões para melhorar o atendimento.

A visita transcorreu num clima bem diverso da anterior. Vários doentes referiam alívio da tosse, da sudorese noturna e aumento da disposição. Quando passamos pelo rapaz de Santo André que cuspia sangue, ele estava sentado na cama, afundando um pãozinho no café com leite. Um outro, com uma pneumonia associada à AIDS, agoniado com a falta de ar na semana anterior, andava devagarinho pela galeria.

De xadrez em xadrez, do final da manhã até o meio da tarde, examinei os pacientes. Do meu lado, os três enfermeiros sem almoço, na maior seriedade. Na saída, havia um clima de respeito profissional entre nós. Fui embora com sede, faltou coragem para tomar água da torneira.

Na outra semana, a caminho da enfermaria, sentados no banco junto à porta da sala de atendimento ambulatorial, meia dúzia de presos aguardavam. Um deles, guarda-costas de um traficante da Rocinha, vestido com a camiseta do Flamengo, os braços cobertos de feridas que ele coçava ininterruptamente, falou num sotaque carioca arrastado:

— Com sua permissão, doutor, sabemos que o senhor vem para atender os manos da enfermaria com HIV, mas eu e os companheiros aqui do Oito estamos assim, modo de dizer, no maior esgano. Uns com febre e fraqueza, outros com comichão no corpo que não deixa dormir. Por isso, viemos apelar para a sua boa vontade de dar uma força para a gente.

Visivelmente, precisavam de ajuda. Dos seis, quatro estavam com tuberculose avançada, um apresentava um quadro neurológico estranho e o carioca com coceira tinha lesões dermatológicas disseminadas que eu não fazia ideia do que representavam.

Terminei de vê-los e fui para a enfermaria com o trio de auxilares. Com exceção de uns dois ou três portadores de AIDS cujo estado geral se deteriorava progressivamente, os demais continuavam melhorando. Chegamos a dar algumas altas.

Horas mais tarde, ao sair, na porta da sala de atendimento nova surpresa, desta vez mais numerosa: quinze doentes com a mesma conversa de que precisavam de ajuda.

Tinha caído a noite quando terminei. O Juliano desceu comigo até o térreo e chamou o funcionário para destrancar a gaiola. O carcereiro veio com um molho de chaves:

— Até essa hora, doutor! Nem sabia que o senhor ainda estava lá em cima. E você, Juliano, já era. Pode subir que eu vou te trancar.

Juliano deu um sorriso estranho e subiu de volta. Saí do pavilhão, cruzei a Divineia e bati no portão que leva à portaria. Através da janelinha, o porteiro da noite me mediu de alto a baixo.

— Quem é você?
— Sou médico, estava atendendo no Quatro.

Encarou-me outra vez, demoradamente, depois abaixou o olhar na direção da minha calça:

— É o seguinte: eu vou falar com o plantão, e se ninguém te conhecer, você fica.

— Sou médico, pode perguntar para o funcionário que me abriu a gaiola do Quatro.

— Não é você que vai me dizer para quem eu devo perguntar. Espera aí.

Desconfiado, olhou fixo nos meus olhos e saiu sem pressa na direção da Ratoeira.

Apesar de saber que tudo acabaria esclarecido, o fato de estar do lado de dentro e experimentar a rudeza do contato com aquele que tinha a posse da chave provocou-me certo desconforto, talvez semelhante ao expresso pelo sorriso do Juliano quando ele subiu para ser trancado no xadrez.

No final dei sorte, o porteiro voltou com um funcionário que me conhecia e se desculpou:

— Não leva a mal, doutor, são 7 mil aí dentro. A minha cara é desconfiar!

BIOTÔNICO FONTOURA

Nas semanas subsequentes, a realidade demonstrou-se mais complexa do que eu imaginava. O número de doentes que vinha dos pavilhões para atendimento ambulatorial aumentava sem parar. Não eram apenas os casos de AIDS e tuberculose, a clientela tornou-se variada: facadas, acessos de asma, diabéticos, hipertensos, abscessos, craqueiros dispneicos, paraplégicos com escaras, epilépticos em crise, dermatites diversas e, inclusive, gente saudável com intenção de tirar vantagem do médico ingênuo. Parecia um minipátio de milagres.

Eu tinha que ser rápido: ouvir as queixas, palpar, auscultar, olhar, fazer o diagnóstico e receitar o medicamento em cinco minutos no máximo. Sem errar, se possível. Medicina de antigamente: ouvir, examinar e dar o remédio.

Inútil solicitar exames laboratoriais porque os resultados, quando vinham, não chegavam a tempo de auxiliar na conduta. Uma velha máquina de raio X passava semanas quebrada ou aguardando licitação para a compra de filme radiográfico.

Dificuldades não faltavam. A medicação prescrita percorria complicadas vias burocráticas, e, nas frequentes transferências dos detentos de um pavilhão para outro, perdia-se no caminho. A burocracia era tanta que as internações e altas da enfermaria eram batidas em seis cópias, trazidas para assinar sem papel-carbono. Muitas vezes, como é característico no serviço público, existia fartura de antibióticos e antivirais caríssimos, enquanto faltava aspirina e remédio para sarna.

Ao lado desses problemas operacionais, havia a ignorância dos pacientes. Classicamente, no tratamento da tuberculose os sintomas costumam desaparecer ao redor de quatro a oito semanas, porém a medicação deve ser mantida por seis meses, no mínimo, sob risco de recaída e, pior, do aparecimento de bacilos resistentes altamente letais que podem infectar os contatuantes. Manter adesão ao esquema prescrito era dificuldade intransponível para a maioria dos doentes, muitos dos quais dependentes de drogas de uso compulsivo como o crack.

Para complicar, eu não estava à altura daquela clínica antiquada, sem imagens radiológicas ou confirmação laboratorial. O espectro das patologias era amplo demais para alguém como eu, treinado na época das especializações.

As doenças de pele, por exemplo, epidêmicas nas celas apinhadas, compreendiam a dermatologia inteira: eczemas, alergias, infecções, picadas de percevejos, sarna e a muquirana, um ácaro ousado que se esconde nas dobras das roupas, capaz de saltar longas distâncias de uma pessoa à outra.

Uma vez, chegou um doente chamado Mil e Um, referência à falta dos quatro incisivos na arcada superior, que cumpria trinta dias de castigo na Isolada porque apreenderam em seu xadrez duzentos gramas de crack e oito aparelhos de televisão, supostamente tomados de devedores inadimplentes. Ele era HIV-positivo e tinha feridas pequenas espalhadas nas pernas, coxas e parte inferior do abdômen, das quais saía um líquido claro e minúsculas larvas brancas, rastejantes. Não parou um segundo de se coçar enquanto falou comigo. Tratei a infecção associada e, frustrado, fiquei sem saber que agente era aquele, porque Mil e Um foi transferido para a Penitenciária, no desdobramento do caso dos televisores.

De todos os problemas, entretanto, o pior era a mentira. Naquela cadeia, é tudo complicado. Ao lado de pacientes graves, outros fingem doença, e separar os dois grupos nem sempre é fácil para o médico. O preso entrava pálido, cabelo amarrotado, referindo fraqueza, diarreia, vômitos, tontura e mal-estar. A aparência era de pessoa doente, mas como ter certeza? A palidez podia ser consequência do jejum intencional, da noite sem dormir, do crack ou do talento de ator; as queixas subjetivas, como comprovar? O objetivo dos fingidos era conseguir transferência para a enfermaria ou evitar a alta e terem que deixá-la. Apesar da precariedade das instalações, aquele lugar era um luxo, como explicou Juliano:

— Eles chegam na piolhagem, porque isso aqui é hotel três estrelas, vista do lugar daonde que eles são originados.

Quase todos pediam receitas de vitaminas, com estranha predileção pela B12 injetável. De início, achei que era por se sentirem fracos e considerarem pobre a alimentação servida pela Casa. Cheguei até a fazer algumas dessas prescrições inúteis, pensando num possível efeito placebo que lhes desse conforto psicológico. Logo percebi que entre os habitantes da cadeia também estava na moda a crença nos poderes miraculosos das vitaminas e sais minerais, criando um movimentado comércio paralelo desses produtos, no qual a dolorida injeção de B12, por exemplo, valia cinco pedras de crack.

Descobri graças à honestidade do Pequeno, o baixinho de língua presa que confessava ter assassinado os quatro PMs que teriam matado seus pais e que apanhava feito gente grande cada vez que o pelotão de choque revistava a cadeia:

— Doutor, preciso de umas vitaminas, mas não vou enganar a sua pessoa. Não é que eu vou tomar elas, vou vender para comprar sabonete e papel higiênico. Sou sozinho, não recebo visita e me viro com a ajuda dos médicos.

Fiquei atrapalhado. Havia fornecido prescrições para diversos mentirosos, estaria certo negar para o único sincero? Por outro lado, proteger esse pequeno delito tornava-me cúmplice do Pequeno e sabe lá de quantos mais, no futuro. Neguei, com uma ponta de remorso:

— Pequeno, até aqui eu não sabia da existência desse comércio. De hoje em diante, não receito vitamina para mais ninguém.

Ele respondeu:

— Se é assim, para ninguém mais, o senhor tem o meu respeito.

Desde então, nunca mais prescrevi vitaminas, ganhei a consideração do Pequeno e aprendi que um dos segredos daquele lugar era não abrir exceções: fez para um, difícil negar para os outros.

Outra vez, apareceu um descendente de árabes, nariz avantajado, cheio de correntes embaraçadas nos pelos do peito:
— Doutor, preciso uma receita de Biotônico Fontoura que eu tomo desde pequeno, para a minha família trazer na visita.

Eu nem sabia que ainda fabricavam o tal tônico revigorante e dei a receita ao Turco, alcunha óbvia desse personagem que anos mais tarde fugiu por um túnel cavado no pavilhão Sete; sem ela o Biotônico trazido pelas visitas seria barrado na portaria.

Depois dessa solicitação, vieram outras; sempre a história do Biotônico Fontoura da mamãe. Mesmo após descobrir o esquema das vitaminas, nada vi de errado em receitar o assim chamado fortificante, uma vez que eram as famílias que o compravam, e se o preso decidisse posteriormente vendê-lo, problema dele.

Uma tarde, ao cruzar a Divineia, encontrei o chefe do serviço médico, meu ex-professor:
— Vocês agora tratam AIDS com Biotônico Fontoura?
— Qual é a gozação?
— Ninguém te avisou que é proibido? Eles bebem misturado com a maria-louca, a pinga destilada clandestinamente. Uns anos atrás, de tanto ouvir falar nessa maria-louca com Biotônico, resolvi experimentar. Um preso trouxe uma xícara cheia, anunciando pela galeria que estava chegando o café forte do dr. Mário.
— E que gosto tem?
— Gosto de fogo adocicado!

Na semana seguinte, na enfermaria, reclamei com meus auxiliares:
— Prescrevo Biotônico para malandro colocar na maria-louca e ninguém me diz nada!

Eles riram, sem graça. Menos o Pedrinho, que respondeu sério:
— Doutor, o senhor ajuda nós e nós agimos legal com o senhor. Pode confiar, mas não conta com a gente para entregar os companheiros.

LEPTOSPIROSE

São tantas as situações que se apresentam na cadeia que uma vida é pouco para conhecê-las. Essa lição de humildade dada pelos cadeeiros mais experientes ajudou-me a relaxar e a desenvolver técnicas defensivas para não ser feito de idiota o tempo todo.

Para avaliar a veracidade de queixas subjetivas como náuseas, anorexia, fraqueza ou diarreia, passei a pesar os pacientes em cada consulta. Dificilmente alguém que refere falta de apetite e cinco episódios de diarreia por dia ganha peso, ou quem diz estar com tosse e escarros sanguinolentos deixa de ter alguma alteração na ausculta pulmonar, por exemplo.

A advertência clara do Pedrinho, de que eu não podia contar com meus auxiliares para desmascarar os farsantes, tornou-me mais atento às expressões faciais. Enquanto o doente fala há que olhá-lo direto nos olhos, mudo, o olhar fixo por uns segundos a mais após o término de cada frase. Nos momentos de dúvida, deixar cair o silêncio, abaixar a cabeça sobre a ficha médica como se fosse escrever e dar um bote com os olhos na direção dos enfermeiros e quem mais esteja por perto, a fim de surpreender neles as expressões de descrédito.

Com a experiência que a repetição traz, ganhei segurança como médico e espontaneidade no trato com a malandragem, que, por sua vez, não aparecia mais com histórias bisonhas como a do Biotônico Fontoura.

Devagar, aprendi que a cadeia infantiliza o homem e que tratar de presos requer sabedoria pediátrica. Muitas vezes é suficiente deixá-los se queixar ou simplesmente concordar com a intensidade do sofrimento que referem sentir, para aliviá-los. O ar de revolta que muitos traziam para a consulta desaparecia depois que lhes palpava o corpo e auscultava pulmões e coração. No final, não era raro encontrar ternura no olhar deles. A paciência de escutar e o contato do exame físico desarmavam o ladrão.

Ainda assim, os acontecimentos diários deixavam claro que a complexidade daquele trabalho exigia atenção permanente e discernimento para saber o que não deveria ser dito.

Um dia de chuva, entrou um ladrão do pavilhão Sete enrolado num cobertor, feito um beduíno do deserto, apenas os olhos de fora. Tinha os lábios rachados de febre, a conjuntiva amarelo-avermelhada e uma dor tão forte nos músculos que gritou quando lhe apertei a panturrilha.

Era leptospirose, doença transmitida pela urina do rato, comum naquela época do ano em que chovia toda tarde, o Tietê transbordava para a Marginal e o trânsito na região do Carandiru virava um inferno. Com tantos ratos e tantos esgotos entupidos, não era de estranhar a ocorrência de um ou outro caso. Aquela manhã, entretanto, estava atípica: em duas horas de atendimento, era o quarto doente com os mesmos sintomas. Muita coincidência.

Enquanto o ladrão falava, dei uma espiada nas fichas dos três pacientes anteriores e verifiquei que todos vinham do Sete, justamente o pavilhão mais próximo da muralha. Quando ele terminou de relatar seus sintomas, perguntei-lhe em tom de brincadeira:

— Você também trabalha no túnel?

Brincadeira infeliz! O rapaz ficou mais pálido ainda, os olhos amarelos arregalaram para dentro dos meus. Como se tivesse ficado surdo, Edelso, o falso médico, retirou-se da sala. Percebi que, imprudente, havia cruzado uma barreira perigosa. Na cadeia, certos temas queimam a língua de quem fala e os ouvidos que escutam.

Parece que ficamos horas ali, tensos, naquele olhar mudo, até eu romper o silêncio:

— Desculpa, estou brincando. Nunca vi tanta leptospirose como hoje. Você é a quarta pessoa.

— Doutor, agora o senhor me complicou.

Desconcertado pela surpresa, ele não negou nem confirmou o trabalho no túnel. Procurei tranquilizá-lo:

— Olha, não sou polícia, venho aqui para atender quem está doente. Pode confiar.

— Pelo amor de Deus, doutor, essa fita pode gerar desgraça em mim e nos companheiros que passaram por aqui hoje.
— Já nem sei de que assunto você está falando.

Lentamente, seu rosto se desanuviou. Sugeri-lhe que ficasse internado na enfermaria, mas ele recusou; preferiu tomar antibiótico no xadrez. Disse que podia contar com a ajuda dos companheiros.

Duas ou três semanas depois, em casa, no café da manhã, abro o jornal: "Detentos fogem através de túnel no Carandiru".

O buraco, escondido atrás de uma imagem de Nossa Senhora Aparecida, foi aberto numa sala do Patronato, área onde os presos trabalham, no térreo do Sete, passou sob a muralha e terminou na sala de jantar de uma casa da rua vizinha ao presídio. Há quem diga haver percorrido o caminho inverso: da sala da casa em direção ao Patronato do Sete.

Alheios ao risco de desabamento, os homens rastejaram mais de cem metros pelo túnel inundado, com ratos afogados, boiando. Um dos primeiros a passar derrubou uma lâmpada da iluminação improvisada que, em contato com a água, eletrificou o trajeto. Na escuridão, espremidos entre as paredes do buraco, tomando choque no corpo molhado, sessenta e três homens escaparam para a liberdade.

Só não fugiu mais gente porque um deles, obeso, entalou na boca do túnel disfarçada atrás da santa. O Rolha, conforme ficou conhecido esse rapaz, foi transferido da Detenção às pressas, para não ser morto pelos companheiros frustrados que vinham atrás, na fila.

ANJOS-DEMÔNIOS

A Faxina é a espinha dorsal da cadeia. Sem entender sua estrutura, impossível compreender o dia a dia, dos momentos corriqueiros aos mais agudos.

Sua função é "pagar a boia", isto é, distribuir cela por cela as três refeições diárias e cuidar da limpeza geral. O número de faxineiros varia conforme o pavilhão. Naqueles com menos gente, como é o caso do Quatro, do Seis ou do Sete, eles são cerca de vinte; nos mais populosos, como o Cinco, o Oito e o Nove, pavilhões com mais de mil prisioneiros cada, são necessários de 150 a duzentos faxinas, divididos entre os que servem comida e aqueles que tiram o lixo, varrem e lavam tudo.

A Faxina tem hierarquia militar. Os recém-admitidos recebem ordens dos mais velhos e em cada andar há um encarregado que presta contas ao encarregado-geral do pavilhão. De acordo com a gravidade do problema, pode haver contato entre os encarregados-gerais, mas o comando é estanque ao pavilhão, não existe um chefe supremo da cadeia. Aliás, chamar os encarregados de chefes é ofendê-los, bem como a seus subalternos:

— Quem tem chefe é índio.

Aos funcionários não cabe escolher faxineiros, é a corporação que recruta seus membros. Para ser aceito, o candidato não pode ter delatado companheiro nem ter sido responsável pela prisão de alguém, não pode estar endividado, não pode ter ameaçado de morte um desafeto e não cumprir, não pode ter levado um tapa na cara nem assumido o papel de "laranja", ou seja, ter se responsabilizado pela ação cometida por outro. Enfim:

— Não pode ter mancada no Crime.

Um dos faxinas da enfermaria resume os requisitos em linhas mais abrangentes:

— O faxina é um ser humano como qualquer preso, mas tem que ter álibi com a malandragem. Não pode ser pilantra.

A corporação é especialmente zelosa do comportamento sexual de seus membros. Estuprador jamais é aceito, e, se desmascarado, corre perigo de vida. Preso abusado sexualmente só será admitido se matar seus ofensores. Se for homossexual, então:

— Aí é que entra menos ainda. Não tem cabimento uma pessoa que pratica coisas com a bunda vim mexer na alimentação da coletividade.

Quando um membro é recrutado, os mais velhos explicam-lhe as regras de procedimento: não fazer dívida, respeitar visitas alheias, ajudar os necessitados, colaborar para a solução das desavenças e obedecer às decisões do grupo. Em caso de receber ordem que considere injusta, primeiro deve cumpri-la e depois, com respeito, discuti-la com os superiores. Se a ordem for extrema, deverá soltar a faca com os demais. É uma família: mexeu com um, comprou briga geral.

A união assegura autoridade irrefutável à Faxina. Para enfrentá-la seria preciso organizar um grupo mais forte, capaz de desencadear uma guerra interna pelo poder, acontecimento altamente improvável porém não impossível, como veremos mais tarde.

De sua parte, a administração do presídio tem uma visão darwiniana do processo, como deixa claro um antigo diretor, famoso por lutar boxe com os detentos mais fortes:

— Na competição, os presos mais hábeis dominam os fracos. É inevitável. Nós não impomos um chefe para eles — seria ótimo se pudéssemos. O que nós fazemos é tirar partido da seleção natural do líder, usando a estrutura da Faxina para que ele assuma o comando dos outros. Se cada um fizesse o que bem entende, quem controlaria isso aqui?

O diálogo da administração com a cúpula da Faxina é fundamental para a manutenção da ordem. Uma tarde, houve uma reunião do diretor com os encarregados-gerais dos pavilhões, para acabar com a moda de fazer funcionários reféns em ponta de faca como meio de forçar transferência para outros presídios. O diretor prometeu agilizar a burocracia das transferências e os encarregados assumiram o compromisso de acalmar os desesperançados. Por mágica, a paz estendeu seu manto sobre a Detenção.

Reunião do diretor de Disciplina com o encarregado-geral parece a do presidente da companhia com o gerente-executivo:

voz baixa, cada um explica o que quer e até onde pode chegar. Compromisso assumido é compromisso cumprido.

A Faxina é absolutamente fundamental no controle da violência interna. Se alguém deve e não paga, o credor não pode soltar a faca sem antes conversar com o encarregado-geral, que ouve as partes e dá um prazo para a situação ser resolvida. Antes que este expire, pobre do credor que ousar agredir o outro. Sem o aval do encarregado-geral, nada pode ser feito:

— Porque é ele que segura todas as ocorrências do pavilhão. Naquele momento, podem estar cavando um túnel, armando um plano de fuga, e uma facada fora de hora põe tudo por água abaixo.

Uma vez, Zico, com fama de bandidão na Vila Guarani, reconheceu a fisionomia de um recém-chegado no pavilhão Nove e foi conversar com o encarregado-geral, um negro de lábios grossos conhecido como Bolacha, ladrão de longa carreira:

— Quero pedir licença para dar uma lição nesse pilantra. É estuprador, abusou da amiga da minha irmã, lá na vila!

Bolacha ouviu em silêncio e, quando o outro terminou o relato, voltou-se para ele:

— Se é como você diz, que ele desrespeitou a honestidade da moça, que a mãe dela deu parte na delegacia, deve de existir um boletim de ocorrência. É moleza, escreve para a tua vizinha e manda ela trazer cópia desse beó, que está liberado.

Zico seguiu a orientação à risca. O flagrante, de fato, havia sido lavrado e o xerox comprovava a versão apresentada ao Bolacha. Foi autorizado a matar o estuprador.

Recebida a autorização, porém, Zico ouviu os amigos e refletiu que talvez não fosse aquela a melhor atitude. Não tinha nenhum laranja para assumir seu lugar na autoria do futuro crime: certamente seria condenado a muitos anos mais, logo agora que estava prestes a conseguir transferência para a Colônia, em regime semiaberto.

Alguns dias depois, Zico foi chamado no xadrez do Bolacha na presença de testemunhas:

— Zico, qual é a tua, meu? Está esperando o que para resolver o caso daquele pilantra?

— Bolacha, sucedeu-se que subiu meu recurso para a Colônia e eu achei melhor deixar quieto por enquanto e acertar ele na rua.

— Ô, Zico, agora você me desapontou! Pede para matar o cara, traz prova do estupro e depois muda as ideias. Arruma tuas coisas e atravessa para o Cinco, que o Nove ficou pequeno para você. Você não é do Crime, meu. Você é um cômico.

Atendendo pedido do próprio Zico, os funcionários endossaram a decisão da Faxina e bateram a transferência para o pavilhão Cinco. Zé da Casa Verde, marido de duas mulheres, na época internado na enfermaria, fez o seguinte comentário a respeito da atitude dos faxineiros nesse episódio:

— A Faxina tanto faz para auxiliar, como ajuda a prejudicar. Eles são anjos-demônios.

Entrar para a Faxina é estratégia perigosa de sobrevivência: de um lado, a proteção do grupo; de outro, a obediência cega às ordens dos superiores, para o bem ou para o mal.

Quem chega ao topo da hierarquia deve ser homem de respeito e estar preso há alguns anos para conhecer o ambiente. Idade não é documento e no mundo do crime de pouca valia é a força física individual, ao contrário do que muitos pensam. Conheci um encarregado franzino, de 25 anos, que comandava um pavilhão com 1600 homens. E o maior brutamontes da cadeia foi assassinado enquanto dormia, por um branquinho obstinado de 44 quilos.

O comando da Faxina jamais é entregue a um facínora desmiolado. Todos os encarregados-gerais que conheci eram homens de poucas palavras e extremo bom-senso, que assumiram a liderança graças à habilidade de resolver conflitos e formar coalizões.

Abrão, um nordestino atarracado, ex-proprietário de inferninho no cais de Santos, cumprindo 25 anos pela morte de um cliente abusado que bateu numa das prostitutas de seu harém, ressaltou as seguintes qualidades do encarregado-geral:

— Ele tem que ter cacife, situação verbal boa, escutar muito e falar pouco, para não dar aproximação. Tem que ter equilíbrio nas atitudes para dizer um isso está certo, um aquilo está errado, um você pega suas coisas e atravessa para o Cinco. Aqui, não é como na rua, que um louco pode ser chefe de seção, gerente de firma, chegar até presidente da república que nem aquele, que diz que cheirava farinha e tinha cara mesmo. Aqui, o líder é o que sabe ouvir a voz da razão, debater com os companheiros e se agrupar para ficar forte, porque, como é o dito, contra a força não há resistência.

É árdua a rotina do encarregado. Do momento em que as celas se abrem até o horário da tranca, é preciso estar atento. Para se afastar do pavilhão por cinco minutos que seja, tem que deixar o subencarregado em seu posto. A necessidade dessa precaução tem justificativa:

— Em cinco minutos muita desgraça pode acontecer numa cadeia.

Vivem atarefados. Na enfermaria, atendi dois deles com sintomas visíveis de estresse, como se fossem altos executivos de multinacional ou, como prefere dizer o Bolacha, como se fossem juízes de direito:

— Já acordo cheio de problema: é o cara que quer acertar uma bronca da rua, um que precisa matar o pilantra, cavar um túnel, cobrar dívida, o outro que ouviu uma palavra mal colocada, e vai assim até a tranca. Precisa apaziguar tanta zica, doutor, que pareço pai de família, só acalmo de noite, depois que todos foram para a cama.

Na verdade, nas fases mais agitadas do pavilhão, nem na cama Bolacha tinha sossego:

— No silêncio da noite, a mente trabalha solitária porque a decisão final é minha e dela depende a sorte de um ser humano. Sou o juiz do pavilhão. Só que o juiz da rua trabalha aquelas horinhas dele e vai para casa com o motorista; eu, é 24 por 48. Ele, só tem que julgar se o acusado vai preso; no máximo, dar uma pena mais longa. Eu, assino pena de morte.

OS FUNCIONÁRIOS

No início, fiquei com a impressão de que os funcionários não confiavam em mim. Depois, tive certeza. Eram arredios, mais tarde me contaram, por acharem que eu estaria ligado às associações de defesa dos direitos humanos ou teria interesses políticos.

Nos primeiros anos, descontados o Waldemar Gonçalves, que virou amigo íntimo, mais uns dois ou três, os restantes mudavam de assunto à minha chegada. Se, por curiosidade, eu fazia uma pergunta sobre a mais corriqueira ocorrência, davam respostas evasivas.

Depois de uma palestra no cinema do pavilhão Seis, cruzei com um rapaz ensanguentado a caminho da enfermaria e perguntei ao funcionário que o escoltava o que havia acontecido:

— Despencou uma telha na cabeça dele.

Outra vez, encontrei uma confusão na Divineia. Gente que entrava e saía da sala de Revista, lotada; ânimos exaltados. Certamente tinham flagrado alguém com algo proibido. Quando perguntei o que se passava a um senhor baixinho que guardava o portão de acesso à Divineia (onde anos depois encontrou a morte, prensado por um caminhão de lixo numa tentativa cinematográfica de fuga), ele respondeu sério:

— Um colega se sentiu mal com o calor.

A desconfiança não tinha motivação pessoal. Nada que eu tivesse feito ou dito poderia justificá-la. Na verdade, guardas de presídio não gostam de pessoas estranhas no ambiente de trabalho. A realidade é desconcertante numa prisão, o que parece certo muitas vezes está errado, e aparentes absurdos encontram lógica em função das circunstâncias. O visitante, ingênuo, tira conclusões precipitadas e pode fazer comentários indiscretos que eventualmente cheguem aos ouvidos da Corregedoria, encarregada de investigar abusos de autoridade, ou à redação dos jornais.

Os militantes das associações de defesa dos direitos humanos e da Pastoral carcerária da Igreja Católica de um modo geral são malvistos. Os funcionários dizem que eles só estão interessados nos direitos dos bandidos.

— Doutor, nesse tempo, o senhor já perdeu a conta de quantos colegas nossos foram aguentados em ponta de faca. Não tem humilhação pior para um pai de família. Só quem passou por isso pode contar. Alguma vez o senhor viu chegar alguém dos direitos humanos ou esses padres da Pastoral para dar apoio ao funcionário?

Respondi que, de fato, nunca tinha visto. Ele prosseguiu:

— Um homem que não fazia mal para uma mosca, como o seu Joãozinho, morreu esmagado pelo caminhão de lixo no portão da Divineia, naquela tentativa de fuga. Pergunta se alguém veio dizer uma palavra de conforto para a viúva? Agora, vai dar um tapa num ordinário sem-vergonha qualquer para ver o processo que eles armam para a gente!

Os jornalistas, por sua vez, são mestres no desagrado, conseguem inimizades entre gregos e troianos. De medo que alguma vítima antiga lhes reconheça a fisionomia e novos processos aumentem o débito com a Justiça, os presos fogem das objetivas como o diabo da cruz. Apontar-lhes uma máquina fotográfica ou câmera de TV faz com que cubram o rosto e desapareçam mais depressa do que diante da metralhadora de um PM. Os funcionários também evitam a imprensa, dizem que ela só serve para criticar e distorcer o que é dito.

Uma vez, seis detentos sequestraram um grupo de carcereiros na lavanderia, junto ao pavilhão Seis, para exigir transferência de presídio, procedimento que se tornou rotina após o massacre do Nove. Quando cheguei, a frente da cadeia, nos baixos do elevado por onde passa o metrô, estava cheia de câmeras, microfones e carros de reportagem. Ao entrar na Casa, perguntei a um dos diretores que participava das negociações a razão do alvoroço:

— São abutres, doutor. Pousam aqui quando pressentem qualquer desgraça que ajude a vender jornal.

A convivência encarregou-se de quebrar a resistência da corporação à minha pessoa, como disse seu Aparecido Fidélis, funcionário experiente, enquanto tomávamos um chope no Recanto Nordestino, ao lado da cadeia:

— Com o passar dos anos, nós percebemos que o senhor veio para somar.

A partir daí, tive ampla liberdade. Pude circular até nas áreas de segurança, do Amarelo à Masmorra. Andar sozinho pela cadeia no meio dos ladrões transmitiu-me uma sensação de autoconfiança que não ficou limitada ao espaço interno do presídio.

Hoje, há funcionários que demonstram ao me ver a mesma alegria que sinto ao encontrá-los. Conversamos sobre o trabalho, problemas de saúde, agruras financeiras (que não são poucas entre eles), dificuldades com a família e desencontros com as mulheres (que são muitas). O respeito entre nós reforçou os laços que me prenderam à Detenção.

A vida que levam é dura. Para sobreviver dignamente, o salário não dá. Os que teimam na honestidade, fazem bico como segurança em banco, supermercado, loja, boate ou casa de tolerância.

Boa parte desse trabalho é a serviço de empresas clandestinas, sem direitos trabalhistas. Nem armamento recebem, utilizam o revólver pessoal, geralmente não legalizado, uma vez que a categoria não tem direito a porte de arma. Num assalto, se forem feridos ou matarem o assaltante, a empresa pode se eximir da responsabilidade. Não existe vínculo empregatício. Se morrerem, a família que se arranje com a pensão do Estado.

A jornada de trabalho é interminável. Os que dão plantão noturno saem às sete da manhã diretamente para o bico. Cama, somente na noite seguinte, quando folgam na cadeia. O pessoal do diurno inverte. Aqueles que cumprem horário fixo, das oito às dezoito, diariamente, ficam em situação pior: cochilam algumas horas no serviço e é só. Deitar na cama, só na folga do final de semana. A ausência de casa desarticula a rotina familiar, destrói casamentos e dá ensejo a vidas duplas, dividindo-os entre a esposa e outras mulheres. Para aguentar a tensão inerente à atividade e o cansaço das noites, muitos abusam da bebida. Alcoolismo e obesidade são doenças prevalentes entre guardas de presídio. Bebem para valer, não é fácil acompanhá-los.

Uma noite, após a distribuição do quarto número do *Vira Lata*, o gibi erótico de prevenção à AIDS, juntei a equipe que participou do trabalho e fomos para o bar na frente da Detenção, chamado Alcatraz.

Ao chegarmos, lá pelas onze da noite, encontramos um grupo de funcionários do diurno que bebia desde a saída, às sete. Ambiente de botequim: balcão congestionado de garrafa de cerveja, pratinho com calabresa acebolada, música de vitrola automática, falatório e fumaça de cigarro. Um dos carcereiros, quando me viu, estendeu-me a mão e com a voz de quem tem uma batata quente na boca, fez um pequeno discurso:

— Doutor Varella, quanta honra esta figura científica aqui, com este humilde funça, que no entanto é uma pessoa humana que tem no coração tanta dignidade como o senhor e neste momento de confraternização faz questão absoluta de oferecer-lhe uma pinga, que o senhor terá a fidalguia de aceitar.

Apesar do vernáculo persuasivo, titubeei; a distribuição da revista havia atrapalhado a minha rotina de tal forma que eu estava apenas com o café da manhã. Aquela pinga, em jejum, não ia fazer bem. Diante da hesitação, um colega mais sóbrio do funcionário cambaleante veio em meu auxílio:

— Deixa quieto, que o doutor não é homem de tomar pinga em botequim.

A observação tocou meus brios. Respondi que honrado era eu, por beber em tão distinta companhia.

Veio um daqueles copos de bar com frisos paralelos e uma dose para lá de generosa: dois terços do copo. Com os olhares voltados para mim, dei um gole de homem, como eles. O líquido escorreu incandescente pelo esôfago, deu um tranco na boca do estômago e um baque instantâneo no cérebro. Senti o corpo arrepiar.

Aí o Waldemar sugeriu um frango a passarinho, no capricho, especialidade do Alcatraz, acompanhado de cerveja, é claro, e da voz melodiosa da Alcione cantando "Nem morta". Quando a música acabava, alguém punha outra ficha na vitrola e a cantora repetia o "Nem morta". A Alcione e o copo cheio pareciam moto-contínuo.

Cheguei em casa e entrei no chuveiro com o gosto do franguinho encharcado no óleo do Alcatraz e as imagens da cadeia. No meio do banho, tomei um susto com a voz da minha mulher:

— Isso é hora de ouvir samba nesse volume?
— O rádio nem está ligado!
— Lógico, acabei de desligar. Você nem percebeu?

Não é intenção transmitir uma visão romântica desses homens, mesmo porque alguns não valem defesa. Envolvem-se com os ladrões, aceitam propinas nas transferências de xadrez, cobram pedágio nas portas dos pavilhões, compactuam com o tráfico e vendem facas para defesa pessoal. Corrupção pé de chinelo, universal nos presídios. Impossível de acabar. Provavelmente participam também de contravenções mais graves, como facilitação de fugas (um diretor-geral que assumiu logo após o massacre do Nove acabou preso no COC, por envolvimento em várias delas), ou deixam entrar armas de fogo, prática arriscada que provoca atitudes agressivas nos próprios colegas postos em risco.

Os que agem assim tornam-se indistinguíveis dos ladrões, porque, como afirmam os de conduta séria:

— Quem anda com porco, come farelo.

A convivência prolongada com a malandragem, a falta crônica de dinheiro e a própria burocracia da Justiça brasileira fermentam o caldo da corrupção.

Um antigo diretor, certa vez, recebeu denúncia de que o funcionário encarregado de dar andamento à papelada dos detentos no Fórum cobrava serviço por fora. Sem dar dinheiro para ele, podia-se mofar na cadeia. O diretor passou-lhe uma descompostura, transferiu-o para vigiar o portão do pavilhão Nove e nomeou uma pessoa de sua confiança para a estratégica função, porque quando cessam as transferências para o regime semiaberto e as libertações, o ambiente fica péssimo, pronto para explodir.

Pois bem: semanas depois, em meio ao descontentamento crescente da massa carcerária, e sem conseguir fazer andar papel nenhum, o funcionário de confiança voltou ao diretor:

— Doutor, quer um conselho? Devolve fulano para a função. Só ele conhece o caminho das pedras no Fórum. Ali, sem caixinha, cria teia de aranha.

O diretor, um homem de senso prático que começou a vida batendo de cassetete em cabeça de bêbado criador de caso no cais de Santos, resolveu não dar murro em ponta de faca e chamou o funcionário malandro:

— Olha aqui, fulano, faz quase um mês que você abre e fecha porta para vagabundo, no Nove. Deu tempo de aprender a lição. Volta para o Fórum e faça o que for necessário para andar os papéis do pessoal, antes que a situação fique pior do que está.

Justiça seja feita, porém: há muitos guardas de presídio sérios, apesar da má fama da profissão, dos salários ridículos, do risco de contrair tuberculose, virar refém ou morrer na ponta de uma faca. Não fossem eles, seria impossível tocar a cadeia.

Seguindo a tradição do serviço público brasileiro, na Detenção são muitos os servidores inativos e pouquíssimos nas funções produtivas. Além disso, a desvalorização da carreira de guarda de presídio provocou deserção de muitos homens experientes, forçando a contratação de jovens sem treinamento adequado.

Uma vez, na Radial, junto ao portão que separa o Seis do Dois, em voz baixa o Chico Bagana, ladrão de muitas passagens pela Casa, gozador empedernido, chamou minha atenção para o novato da guarita:

— Doutor, vê se tem cabimento botar um menino desses para tomar conta da gente. Ele está amarelo de medo.

Esses fatores, aliados ao absenteísmo, criam situações surrealistas. Durante o dia, por exemplo, de dez a doze funcionários tomam conta de um pavilhão como o Oito, com mais de 1500 detentos reincidentes; à noite, o número cai para seis ou sete. Para cuidar dos 1600 presos do Cinco, a mesma precariedade.

Como um grupo tão pequeno de homens sem armas consegue controlar um presídio daquele tamanho é um dos mistérios da cadeia. Talvez o maior. A estrutura é tão frágil que a única explicação para não ocorrerem fugas espetaculares, daquelas de esvaziar pavilhão, é a dada pelo seu Reinaldo, da portaria:

— A nossa sorte é que eles não falam a mesma língua.

Reduzido à essência, o trabalho dos carcereiros consiste em dividir a malandragem, maquiavelicamente. Como diz seu Bonilha, ex-diretor do Cinco, que uma vez pagou do bolso um pacote de cigarro que um ladrão devia, só para evitar um homicídio a mais em seu pavilhão:

— Eu passo o dia jogando areia na deles.

Seu Fidélis, cadeeiro da velha guarda, diz que o segredo do ofício é tirar partido do conflito de interesses entre os detentos:

— Doutor, o Crime é uma profissão. O malandro de verdade chega aqui para tirar a cadeia em paz, voltar para a rua o mais rápido possível e assaltar, que essa é a vida dele. Ele segura os companheiros, não se envolve em plano de fuga, droga ou facada, para não comprometer o objetivo de ir embora. Sem perceber, o maior bandidão acaba nosso aliado.

A habilidade para estabelecer alianças com as pessoas certas, os líderes da massa carcerária, é essencial para o bom andamento da cadeia e para a segurança física do funcionário.

O convívio com os presidiários é capaz de criar sólidas relações de amizade. Para o homem preso, o carcereiro representa o contato com a sociedade exterior — o único, no caso dos que não recebem visitas. Um pequeno favor, o apoio numa hora difícil ou a simples paciência para escutar um desabafo despertam no detento extrema consideração pelo funcionário. O respeito mútuo é parte do equilíbrio de forças que se estabelece na cadeia e pode ser decisivo para preservar a vida nos momentos de violência irracional.

Nos dias conturbados que se seguiram ao massacre de 1992, a malandragem de moral chegava a escoltar funcionários até a saída, para evitar possíveis represálias da massa revoltada.

Ao lado das amizades certas, uma boa equipe de delatores é fundamental para a paz interna. O alcagueta é personagem tão velho quanto os presídios. Delata a troco de uma vantagem pessoal: transferência, pagamento de dívida, vingança, inveja, intriga de mulher ou para eliminar o traficante concorrente, como diz seu Florisval, que começou como carcereiro e chegou a diretor:

— Quando aparece um alcagueta, procuro ver se a informação que ele traz vale a vantagem que ele quer tirar.

Luisão, legendário ex-diretor da Casa, jura que era capaz de identificar aqueles nos quais a alcaguetagem é qualidade inata:

— Ele já nasce alcagueta, doutor.

É atividade de alto risco no mundo do crime; passível de execução sumária. Ainda assim, para desespero da malandragem, como admite pesarosamente o Sem-Chance:

— Tem sempre um cagueta na fita, doutor. É sem chance.

Numa cadeia, como os acontecimentos são descritos segundo a versão preferida de cada narrador, ninguém sabe de que lado está a verdade. Ouvir dez pessoas é escutar dez histórias, e separar o joio do trigo, um quebra-cabeça que exige preparo intelectual. O funcionário experiente registra tudo o que se passa ao redor, mesmo o insignificante. Quando surge um problema, ouve os bem-informados, chama o chefe da Faxina, debate com os colegas e convoca os delatores. Até tomar a decisão final:

— A gente pisa em ovos; qualquer deslize pode acabar em morte.

Quando quer descobrir culpados, seu Jesus, diretor de Vigilância, diz que evita movimentos bruscos:

— Eu cutuco de leve e espero para ver onde a onça vai gritar.

São espertos; na astúcia, confundem a malandragem desunida.

Uma vez o pavilhão Oito passou o dia trancado, por causa de um boato de que estava sendo cavado um túnel. Na tranca-represália, ninguém serve comida e o mau humor cresce no decorrer do dia. No final da tarde, quando seu Jesus, do alto de seus 120 quilos, cruzou o pátio do pavilhão, ouviu de uma janela:

— Vai morrer, seu Jesus!

— E você não, malandro? — respondeu de imediato.

Ao lado dos defensores de técnicas civilizadas, porém, existem funcionários mais radicais:

— O que segura uma cadeia, doutor, é pau e bonde, o resto é bobagem. Acerta o cara e transfere lá para a penitenciária de Presidente Wenceslau, quase na divisa com Mato Grosso, para ver se ele não volta mansinho.

Na Detenção, as agressões aos presos, tradição forte no sistema prisional brasileiro, não desapareceram, mas diminuíram de intensidade com o passar dos anos, pois, como diz Luisão, atualmente aposentado:

— Quando eu comecei, a moda era ser caceteiro; hoje é parar de bater. O funcionário se adapta aos tempos. O senhor leva a patroa ao baile, doutor, toca valsa, o senhor vai querer dançar samba?

Curioso é que os presos mais velhos consideram o coronel Guedes, um militar dos anos 70, época da ditadura, como o melhor diretor de todos os tempos. Falam dele com grande admiração:

— O lema era pau e cela, mas existia respeito, de nossa parte e dos funcionários. Andava sozinho pela cadeia inteira, na moral, todo mundo de mão para trás quando ele passava. O homem era fascista, não dava mole para nós nem para a Justiça, com ele tinha que cumprir a lei dos dois lados. Telefonava para as autoridades e dizia que a pena tinha acabado: ou chegava o alvará de soltura ou ele punha o elemento na rua. A juizada tinha medo do coronel.

Dadas as condições do presídio, é impossível acabar com as agressões, porque no convívio com os ladrões alguns funcionários se embrutecem de tal modo que não enxergam outra alternativa para impor ordem. Como vigiá-los na calada da noite, no canto escondido de um pavilhão escuro?

Uma vez, seu Lourival, funcionário calejado, comentou a respeito de um episódio rumoroso, no qual dois presos se queixaram ao padre de terem levado uma surra de cano de ferro e o caso foi parar na Corregedoria:

— Duvido que alguém faça concurso para guarda de presídio só para bater em detento. É o ambiente daqui que deixa a pessoa assim.

Na prisão, a violência que explode em ciclos invade a vida dos guardas. Nos acertos de contas entre a malandragem, quando um grupo decide dar cabo de alguém, os funcionários têm ordem para não interferir. Morra aquele que tiver de morrer; paciência, trabalham desarmados:

— Nessa hora não dá, doutor, é como querer apartar briga de cachorro louco.

Um funcionário de trinta e poucos anos que faz bico como segurança de um prostíbulo em Diadema, que ele garante ser lugar de respeito e insiste que eu vá visitar, contou que a imagem do primeiro preso que ele viu morrer, há cinco anos, retorna quando menos espera:

— Chegaram oito com faca e pau no xadrez do tal de Alagoas. Ele me viu e começou a gritar: me ajuda, seu Paulo, pelo amor de Deus! A única coisa que eu pude fazer foi pedir para não matarem o rapaz. Não adiantou nada. Tomou mais de vinte golpes. É feio, doutor, um ser humano berrando feito porco apunhalado e o senhor não poder fazer nada.

Com o tempo, Paulo presenciou outras mortes semelhantes, mas a impressão da primeira foi inesquecível:

— Até hoje a expressão de terror daquele rapaz volta na minha mente, num aniversário de família, na cama com a minha mulher ou na frente da TV com as crianças.

De minha parte, posso assegurar que a influência do meio está longe de ser desprezível. Apesar de médico, diversas vezes tive vontade de bater em alguém na cadeia, não por terem me faltado ao respeito, fato jamais ocorrido, mas pela revolta diante da perversidade de um preso com outro.

O REBANHO

Padres, pastores, médiuns, pais e mães de santo e até adoradores de Satanás frequentam o presídio para converter à palavra do Senhor as ovelhas desgarradas. A crença na ajuda divina é para muitos presos a derradeira esperança de conforto espiritual, única forma de ajudá-los a estabelecer alguma ordem no caos de suas vidas pessoais.

A pregação dos pastores protestantes, que oferecem o caminho do céu pelo conhecimento da Bíblia e de uma divisão clara entre o Bem e o Mal, obtém mais sucesso do que a dos padres católicos.

Entre os crentes da Detenção, o grupo mais coeso é o da Assembleia de Deus, que congrega perto de mil homens — mais de 10% da população da Casa. Só no pavilhão Nove há duzentos; no quinto andar do Cinco, vizinho do Amarelo, 180. Andam de manga comprida, colarinho abotoado, e para onde vão carregam o livro santo. Chamam-se de irmãos, proclamam-se tementes a Deus e repetem jargões bíblicos em tom monocórdio.

Na prática, com os crentes sempre tive dificuldade para diferenciar aqueles convertidos à palavra do Senhor, dos que adotaram o mesmo estereótipo para fugir do acerto de contas com a massa carcerária. Estupradores, justiceiros, usuários de droga inadimplentes, delatores e ladrões que trapacearam na divisão do roubo às vezes fingem se converter para contar com a proteção do grupo religioso. Como usam as mesmas roupas, carregam a Bíblia e repetem o nome do Senhor a cada frase, é impossível distingui-los dos crentes de verdade.

Os próprios ladrões queixam-se da mesma dificuldade. Respeitam os crentes, porém exigem coerência. Uma vez, atendi na enfermaria um membro da Igreja Universal que apanhou dos ladrões no pavilhão Nove quando o pegaram fumando um cigarro escondido. O rapaz tinha vergões nas costas, um hematoma no olho direito e um corte de faca no braço. Meus enfermeiros justificaram a agressão:

— Quer ser crente, nós respeitamos a caminhada dele, mas não pode tirar uma para cima da gente. A cara dele é passar o dia rezando para Deus proteger nós, ladrões.

Para conquistar novos adeptos, os irmãos chegam a liquidar dívidas do recém-convertido. Tarefa muitas vezes inglória, como esclarece um dos pastores do quinto andar do Cinco, um homem em formato de barril, preso por vender lotes no meio da represa Billings e por outros golpes contra a economia popular:

— Como a própria Bíblia diz que é para apaziguar, Eclesiástico 10 e 4, a gente acerta a dívida dele. Mas, como uns e outros não é sincero, depois que pagou ele fica bravo de novo: porque eu sou isso, aquilo, sou 157 e mais não sei o quê. Enquanto está no meio dos lobos, ele é ovelhinha; chega aqui, vai querer bancar o lobo no aprisco de Deus.

No pavilhão Cinco, um pastor-chefe comanda a ala, auxiliado por três outros. Os pastores devem ser casados, ter bom testemunho e reputação ilibada com a diretoria do presídio. São escolhidos pelo tempo, após cumprirem os estágios de cooperador, diácono e presbítero. Ficam sob observação durante três ou quatro anos antes de serem indicados, segundo um diácono de olhar piedoso, cumprindo pena por assalto, tráfico de crack e participação numa chacina na favela de Heliópolis:

— São vistos se têm nível espiritual, conhecimento da Palavra e se são pessoas de oração, porque tem um que não está totalmente de pé, outro que ainda é meio bravo, outro que masturba no sexo, ou seja, não é membro em comunhão com o povo de Deus.

É árdua a trajetória dos novos convertidos, pois a marcação sobre a vida alheia é cerrada. O fiel não escapa à vigilância permanente do grupo e ao olhar onipresente do Senhor.

Valente, um rapaz com forte sotaque paranaense, condenado por sete mortes a 130 anos, justifica a necessidade do rigor:

— O problema é que às vezes tem uns camaradas aqui que é ator perigoso. Perigosíssimo, 171 bravo! Por isso, uma equipe de diáconos observa ele 24 por 48. Não é que nós é polícia e investiga, é o Espírito Santo de Deus quem avisa que aquela pessoa cometeu e tal e não quer permanecer no rebanho.

O código de comportamento é severo, a conduta do crente precisa se destacar na massa. Deve largar gíria, mulheres, vestir roupa social, andar de sapato engraxado, perder a ginga, tomar banho e pentear o cabelo. Pessoas amasiadas não podem morar na galeria da Assembleia, apenas os solteiros e os casados legalmente, no papel. Homossexuais são aceitos, porém com uma ressalva:

— Tem que abandonar a vida pecaminosa e voltar a ser cidadão normal.

Valente diz que os estupradores, odiados por todos, para os crentes são pessoas que merecem o perdão do Senhor, porque têm problemas:

— Problemas mentais e diabólicos.

Iludem-se, no entanto, os que se juntam aos crentes esperando uma vida fácil. São cheios de espinhos os caminhos que conduzem a Deus, diz o diácono de olhos piedosos:

— A rotina da Igreja na cadeia não dá tempo capcioso.

Às oito horas, assim que destrancam as portas, saem todos para a primeira oração, que dura sessenta minutos. Às nove, começa a Campanha: oito, dez pessoas reunidas nas celas, orando por mais uma hora. Metade da Campanha é oração, quinze minutos são de louvores e quinze de Palavra, quando todos falam ao mesmo tempo e as vozes se elevam a Deus. Quem passa pela galeria nesse momento tem impressão de estar na torre de Babel, com aquele falatório simultâneo. No final, os irmãos chegam a pingar de suor, afônicos, de tanto elevar-se ao Criador.

Depois dessa Campanha, inicia-se outra às dez, na qual um irmão mais velho ministra a Palavra até as onze e meia. Aí é hora do banho, para almoçar e descer depressa, porque das treze às quinze o culto é ao ar livre, para atrair novas vocações. Terminou, é subir rápido porque às quatro é a tranca e os crentes não atribulam os funcionários, por princípio.

Trancou, vêm mais orações, louvores e Palavra até as seis e meia. Aí se lavam e jantam. Depois, rezam, estudam a Bíblia ou ministram a Palavra até a hora de dormir. Cedo, porque televisão é proibido, e nas rádios não se admite pagode, samba, rock, nada, apenas as emissoras evangélicas.

A Igreja funciona como centro de recuperação, talvez o único disponível no presídio. Descontados os falsos crentes, que "jogam areia nos olhos dos irmãozinhos", os demais são felizes, na visão do pastor:

— A gente sente Deus operando na existência deles. Aqui tem grade e muralha, não dá para fugir, mas você olha o céu e vê Deus. A presença d'Ele transmite paz e, com o coração inundado de fé, você ora com devoção para ir embora deste lugar maligno.

AMARELO

Vizinho dos crentes, no último andar do pavilhão Cinco, fica o Amarelo, um dos recantos mais lúgubres do presídio. Quinhentas e tantas pessoas, juradas de morte em sua maioria, vivem em cubículos densos de fumaça de cigarro, nos quais se espremem quatro, cinco ou às vezes mais prisioneiros. Um cheiro forte de cadeia se espalha pelo ambiente. O estado de conservação das celas é precário. Falta de água, entupimentos, goteiras e inundações acontecem com frequência. Nessas circunstâncias, os habitantes de um xadrez podem passar a noite inteira em pé, no molhado.

Para os habitantes do Amarelo a tranca é permanente, e, soltá-los, uma operação que obriga a prender o restante do pavilhão. Ainda assim, precavidos, os funcionários limitam a abertura aos sábados, dia de visita no pavilhão Seis, vizinho do Cinco. Uma hora só e pronto, sobem de volta. A medida é sensata, pois a presença das famílias no prédio ao lado garante a paz no pátio do Cinco. Apesar disso, há quem ache mais prudente abrir mão do sol e permanecer trancado:

— Seguro morreu de velho, doutor.

O Amarelo nunca foi pintado dessa cor: a denominação deriva do desbotado da pele de seus ocupantes privados do sol.

É rica a biodiversidade do setor: craqueiros insolventes, delatores, justiceiros, estupradores, perdedores de disputas individuais, gente que encontra na cadeia inimigos da rua e muitos outros que, na pior, não conseguiram comprar um xadrez decente ou venderam o que possuíam.

Uma vez, atendi um ladrão do Amarelo, com o corpo coberto de pequenas feridas contagiosas, uma calça velha e a camiseta em frangalhos, que pediu um atestado médico para a mulher, advogada, encaminhar ao Fórum. Perguntei se a esposa não poderia ajudá-lo a sair daquele lugar e ele respondeu:

— Doutor, mais do que ela faz por mim? Já me trouxe dinheiro cinco vezes, para comprar um xadrez. Fumei os cinco no cachimbo.

O crack e a tranca impiedosa são um atentado à sanidade mental dos ocupantes do Amarelo, como diz Dionísio, um ladrão com tuberculose incurável, abandonado pela mulher cansada das promessas de que ele abandonaria a droga:

— Dia e noite preso, no meio de cara chapado e neurótico da mente. O senhor dorme do lado de um desconhecido, dá cinco minutos nele e ele te voa na sua garganta. Não tem descanso, é tortura psicológica para o ser humano, doutor.

O dia no Amarelo é a mais absoluta ociosidade, os presos jogados nos colchonetes, quando os há para todos. Ninguém lê ou vê televisão. Na final da Copa de 1998, o Waldemar Gonçalves fez planos para colocar uma TV na galeria e liberá-los para ver o jogo. Não deu certo, a diretoria desaconselhou por questões de segurança.

Para ampliar o horizonte visual, os presos sobem na janela do xadrez, sentam-se com as pernas para fora e abraçam as grades. Permanecem assim por horas consecutivas, conferindo decoração singular à fachada do Pavilhão Cinco, com uma fileira de pernas pendentes do último piso. Por esse costume, são também denominados "canelinhas", depreciativamente.

Das janelas que dão para o lado externo, os canelinhas conseguem assistir ao jogo de futebol no campo do Oito ou falar aos gritos com os transeuntes da Radial. Menos afortunados são os que ocupam os xadrezes voltados para o pátio interno, quadrado, com visão apenas para as roupas que secam nas janelas dos xadrezes em frente.

Os habitantes do lado interno estabeleceram uma simbiose curiosa com os crentes da Assembleia de Deus que fazem o culto coletivo, diário, ao ar livre, no pátio. Enquanto os irmãos oram para converter os infiéis ao caminho do Senhor, a galera do Amarelo prende um saco plástico a um tênis velho para servir de contrapeso, amarra-o a um barbante e arremessa-o para baixo, na direção dos religiosos. Fazem-no com perícia, o comprimento do barbante exato para o saco chegar a um metro do chão. Pacientes como pescadores, seguram o fio esticado até que os irmãos demonstrem publicamente, com bananas, pães, balas ou roupas, o amor que referem sentir pelo próximo.

Papo Doce, um traficante do Oito merecedor do apelido, que trazia cocaína da Bolívia e ameaçava matar seus distribuidores que misturassem a droga com outros produtos porque tinha um nome a zelar no comércio, justifica a origem do Seguro:

— A existência do Amarelo acontece devido que entre nós não tem departamento de cobrança, onde que gera muita polêmica. Doutor, se eu vendo uma pedra de crack e o elemento não me paga, não posso chegar no juiz para reclamar do sucedido e nem tenho promissória para protestar. Agora, se eu deixar despercebido, fico com fama de vacilão, ninguém mais me paga e o meu fornecedor não quer saber. É uma corrente, a dívida de um provoca consequência no outro.

A segurança do Amarelo é relativa, entretanto. Seu Florisval, diretor de Disciplina, unanimemente tido por seus pares como um dos que mais conhecem a Detenção, é realista:

— A gente faz o que pode, mas infelizmente aqui não existe lugar seguro. Quando eles decidem matar alguém, é muito difícil impedir. Na cadeia, a morte não respeita geografia.

Mário Cachorro, um ladrão que estourava a janela das casas com macaco de automóvel e numa delas encontrou doze quilos em barras de ouro, sendo depois preso com uma loira no Nordeste, apresentou-se uma tarde na sala da Carceragem do Nove, dizendo-se ameaçado de morte por supostos inimigos no pavilhão, e pediu transferência para o Seguro. No Amarelo, comportamento exemplar, ganhou a confiança dos funcionários e foi integrado à equipe que servia refeições para os colegas de infortúnio.

Dias depois, chegou na Detenção um certo Ronaldinho, careca como o jogador, detido por haver estuprado mãe e filha, entre outros delitos graves. Com esse passado, avisou que não tinha possibilidade de convívio com a massa e foi direto para o Amarelo. Acontece que Mário Cachorro era filho e irmão das mulheres violentadas e havia pedido transferência para o Amarelo, antecipadamente, porque descobrira que o estuprador estava preso num distrito e seria transferido para a Detenção.

Na hora do café, Mário Cachorro abriu o xadrez do inimigo. A primeira facada vazou o olho direito do estuprador, que, em vão, tentou encontrar a porta de saída. Quando vi o corpo, chamava a atenção o número de golpes desferidos e, principalmente, os olhos vazados e dois ferimentos profundos, perfurocortantes, simétricos, nas solas dos pés. Em volta do corpo, um malandro comentou com respeito:

— O Mário Cachorro agiu com manha de gato.

Seu Jeremias, saudoso dos tempos antigos, se um dia fosse convidado pelo governador para assumir a diretoria-geral da Detenção, acabaria com o Seguro, como primeira iniciativa:

— Ia resolver o problema, devido que o elemento faz dívida de droga e pede Seguro. Isso não é proceder de homem que é homem. Se ele sabe que não tem para onde fugir, vai assumir a responsabilidade das atitudes. Sem Amarelo, iam morrer uns e outros, mas era bom porque voltava o respeito de antes.

A primeira vez que atendi o pessoal do Amarelo foi numa noite de inverno. Levei o Julinho, um auxiliar da enfermaria que mais tarde foi transferido para o pavilhão Nove, quando descobriram que ele desviava medicamentos dos presos com a provável cumplicidade de um funcionário ou dois, talvez.

Subimos ao quinto andar e improvisamos um consultório numa cela da ala dos crentes. Um a um, os doentes foram trazidos à nossa presença. Tuberculose geral: gente emagrecida, com febre, sudorese noturna e tosse, espalhando gotículas de secreção no xadrez apinhado. Naquele ambiente mal ventilado, o único que não podia se queixar das condições de vida era o bacilo de Koch.

A maioria dos doentes coçava-se de dar aflição. Tinham pequenas bolhas nas pernas, antebraços e parte inferior do tronco, o olhar cansado das noites insones. O ato de coçar rompia as vesículas, deixando vazar o conteúdo cristalino. Com a ruptura, o prurido melhorava, mas começava a arder. No local surgia, então, uma espessa crosta negra que, ao cair, deixava uma cicatriz escura, definitiva. As unhas contaminadas com o líquido das lesões semeavam novas vesículas à distância e entretinham o processo infeccioso por meses.

Quase dez da noite, terminamos. No final, cerimonioso, chegou o pastor-chefe:

— Doutor, sei que sua pessoa deve estar cansada e precisa repousar na paz do Senhor, mas tem uma travesti que está com o silicone inflamado na parte de trás do assento, do traseiro dela. Ela sofre de dores e insistiu para pedir para o doutor.

— Não! Chega. Isto aqui não tem fim. Além do mais, não entendo nada de silicone.

— Lógico, doutor, vou falar para ela ter paciência e orar com fé, para Jesus atuar na vida dela.

Sucumbi à chantagem em nome do Senhor e mandei chamá-la. Hoje agradeço ao pastor por ter me apresentado Veronique, personagem de uma outra história.

Depois dessa vez, voltei com regularidade ao Amarelo, o que me conferiu prestígio entre os funcionários porque muitos deles, por medo, recusavam-se a trabalhar naquele setor. Atendia os doentes numa salinha com um guichê aberto para a gaiola de entrada. Não havia privacidade; para examinar os doentes sem roupa tinha que fazê-los entrar no banheirinho contíguo. Esse banheiro, destinado aos funcionários de plantão, tinha uma privada e uma pia, o chão inundado e as paredes infiltradas pelo vazamento constante. Para lavar as mãos, era preciso abrir o registro na parede e pular ágil para trás, a fim de escapar da água que esguichava do cano junto a ele. A simples abertura do registro fazia a água jorrar com força na pia e na descarga da privada.

Mais recentemente, no Amarelo, passei a contar com a ajuda do Paulo Xavier, o Paulo Preto, enfermeiro do Hospital Sírio-Libanês que se dispôs a me auxiliar com os doentes. Paulo organizava o atendimento com o auxílio de um preso chamado Lúcio, um rapaz forte, com um olho de cada cor.

Lúcio era dedicado com os doentes e gentil comigo. Uma vez contou ter sido preso depois de uma briga de rua. Ele vinha desarmado, quando apareceu um arqui-inimigo com muitas mortes no currículo e um facão afiado nas mãos. Lúcio tomou três facadas, mas conseguiu pegar um pedaço de pau e rachar a cabeça do opositor. Em seguida, aproveitando-se do facão e da inconsciência do outro, decepou-lhe os dois braços para que ele nunca mais esfaqueasse ninguém.

Num sábado, Paulo Preto, Lúcio, seu Manoel, um homem de barba espessa, antigo funcionário do pavilhão, e eu, decidimos atacar a epidemia de sarna que infernizava a vida dos presos. A operação começou às sete. O pavilhão inteiro amanheceu trancado para o Amarelo descer. Nas celas do setor, os presos empilharam os pertences no chão para serem borrifados com inseticida. No pátio, junto à parede lateral do prédio, esperava-os um cano de água fria.

Junto ao cano, os ladrões fizeram fila, enquanto um preso aplicava inseticida em todas as celas. Fazia frio. Seu Manoel, com seus vinte anos de experiência, avisou:

— Pode se preparar, doutor, ladrão é como gato: tem medo de água fria.

De fato, choradeira não faltou. Diziam que estavam com tosse, tuberculose, pneumonia, outro sofria de bronquite e alguns simplesmente se negavam a entrar no banho gelado. Dirigi-me à fila e expliquei que aqueles que não se lavassem e passassem remédio, espalhariam sarna para os demais, para prejuízo de todos. O argumento os convenceu: malandro não arrisca ser acusado de prejudicar os companheiros.

Durante o banho, observei que eles entravam embaixo do cano com as costas quase encostadas na parede. Comentei o fato com seu Manoel, que explicou:

— Ladrão nunca fica de bunda para os outros, doutor.

Roxos de frio, acabada a ducha os homens apresentavam-se a um companheiro encarregado de borrifar remédio contra sarna pelo corpo inteiro. Depois de secos, aqueles que apresentavam infecções dermatológicas eram separados por Lúcio e Paulo Preto e trazidos à minha presença.

O trabalho, que envolveu mais de quinhentos homens, foi completado até o meio-dia, hora exata de trancar o Amarelo e soltar o resto do pavilhão. Prevendo alguns acessos de asma desencadeados pelo inseticida, deixei dez ampolas de cortisona para o Lúcio medicá-los e saí com o Paulo Preto. Fomos embora contentes com o sucesso da operação, dando risada da malandragem embaixo da água fria, com a bunda encostada na parede.

TUDO NA COLHER

O crack invadiu a cadeia em meados de 1992, sorrateiramente. Uma tarde, no campo de futebol do Oito, vinha um rapaz completamente chapado. Falava em tom intimidatório e gesticulava para uma figura imaginária na janela de um xadrez do segundo andar. Na porta do pavilhão, um funcionário corpulento e precocemente hipertenso fez o diagnóstico e uma previsão amarga:

— Olha aí, doutor, é o crack chegando na Detenção. Só faltava mais essa.

Fiquei surpreso. Na minha ingenuidade, crack era coisa de filme americano, problema do Bronx, em Nova York, jamais no Carandiru.

Na cadeia, o processo de preparação do crack é artesanal. Misturam cocaína com bicarbonato de sódio ou amoníaco numa colher, embaixo da qual acendem um isqueiro, para aquecer e derreter a mistura. Quando esta se liquefaz, surge na superfície uma fase oleosa que vai sendo empurrada para as bordas da colher com um palito de fósforo, para esfriar e se solidificar. A pedra resultante é fumada em cachimbos improvisados.

O processo é trabalhoso, como se queixa Tristeza, um traficante interno que passava as madrugadas no preparo e que uma vez foi pego com trezentos gramas de pedras prontas para o consumo:

— O pessoal falam que eu ganho dinheiro que nem água, mas ninguém repara no sacrifício que eu faço. Na rua é moleza, o crack já vem preparado do laboratório; aqui, é tudo na colher.

O crack entrou e varreu a cocaína injetável do mapa. É droga compulsiva, não sobra para o dia seguinte. Na crise de abstinência, se o dependente vê o pó, a pedra de crack ou alguém sob o efeito dela, passa mal: tem sudorese, taquicardia, cólicas abdominais, diarreia e vômitos.

Ronaldo, um ladrão com AIDS que fugiu do hospital penitenciário e foi preso em flagrante fumando crack na rua do Triunfo quarenta horas depois, contou que, num assalto a uma loja de tecidos na rua Augusta, quando a gerente abriu o caixa ele teve um mal-estar súbito:

— Foi bater os olhos no dinheiro, me veio a imagem de eu comprando cocaína na bocada. O estômago embrulhou na hora, saí vomitando pelo meio do assalto.

A cocaína pode ser cheirada, injetada ou fumada. Pela via nasal, o pó adere à mucosa do nariz e vai sendo gradualmente absorvido; o efeito é crescente, atinge um pico e depois decresce. Injetada na veia, cai direto na circulação, passa pelos pulmões e vai para o cérebro; a euforia vem depressa e acaba rápido; dá zumbido na cabeça e um baque no cérebro (daí, o nome). No crack a ação é ainda mais instantânea, porque a cocaína cai direto nos pulmões, não perde tempo na circulação venosa.

Ronaldo, que aprendeu a fumar crack com a esposa, mãe dos quatro filhos dele, diz que a qualidade da cocaína no presídio decaiu:

— Antigamente dava um tuim comprido no ouvido. Hoje, faz tuóm, um instantinho só, e já era.

O usuário de cocaína injetável não se interessa pelo efeito lento da via inalatória, forma de administração que ele considera careta. O crack, porém, provoca sensação semelhante à do baque, além de trazer vantagens: é mais barato, não deixa cicatrizes nos braços e, principalmente, não transmite AIDS.

No presídio, em poucos meses a via endovenosa ficou restrita a uns poucos baqueiros velhos, que mais tarde morreram de AIDS na enfermaria do Quatro. Silenciosamente, como entrou, o baque saiu de moda no Carandiru.

Em janeiro de 1994, repetimos o estudo de prevalência feito quatro anos antes. Encontramos 13,7% dos presos infectados pelo HIV (contra 17,3% na pesquisa de 1990). A única explicação encontrada para a queda do número de infectados nos quatro anos que separaram os dois estudos foi a redução do número de usuários de droga endovenosa. Em 1998, em 250 voluntários testados, dezoito eram HIV-positivos (7,2%).

Com o passar dos anos, muitos ex-usuários de cocaína injetável revelaram ter mudado para o crack por causa das palestras do cinema. Se for verdade, fico feliz. Talvez até o crack tenha um lado bom.

PARA DERRUBAR A MALANDRAGEM

O crack transtornou a cadeia, todos reconhecem. É droga traiçoeira. Nas primeiras vezes o efeito custa a passar; com a repetição diária, porém, acaba em segundos. Vicia rapidamente; na enfermaria conheci rapazes que depois do primeiro contato com a droga nunca mais conseguiram parar, nem presos nas celas de Seguro, endividados, correndo risco de vida.

Com o tempo, o usuário de cocaína desenvolve quadros de delírio persecutório toda vez que usa a droga. Na cadeia, os portadores dessa síndrome, à qual dão o nome de paranoia ou noia, andam pelas galerias apavorados, trancam o xadrez por dentro, encolhem-se feito crianças embaixo da cama, gritam ou fogem de inimigos imaginários.

Ronaldo, o pai de quatro filhos que vomitou durante o assalto e veio a morrer de tuberculose na enfermaria seis meses depois de recapturado, descrevia assim a paranoia que o torturava:

— O crack é tão devastador para a mente da pessoa que eu fumo trancado no xadrez e cismo que tem alguém debaixo da cama com a faca para me matar. Fico apavorado, quero olhar mas tenho medo de abaixar e ele me furar os olhos. Demoro para criar coragem e espio bem depressa. Lógico que não vejo ninguém, estou sozinho no xadrez fechado, mas mesmo assim fico na dúvida: tem sim, eu é que não vi direito. Abaixo mais uma vez, apesar do medo que me fure o olho, e não vejo nada. Mas não adianta, não me convenço, e olho de novo. E assim é, dez, quinze vezes. Quando o efeito vai abaixando, eu percebo que foi tudo paranoia: como é que pode ter alguém aqui, se o xadrez é minúsculo e a porta está trancada? Antes de dar outra cachimbada, olho debaixo da cama e confiro se a porta está bem fechada; chego a espiar dentro do boi. Tudo bem, vou fumar de novo e dessa vez a noia não vai me atacar. É só cachimbar, doutor, repete tudo a mesma coisa: tem alguém debaixo da cama, vai me matar, se eu olhar vai me furar a vista...

No final, Ronaldo resume a existência do usuário de crack:

— É triste o nosso destino. Se existe o inferno na Terra, é a vida de nós, craqueiros.

Impossível saber quantos fumam crack no presídio. Na estimativa dos detentos, pelo menos 60%. Uma vez, perguntei ao Lúcio, o enfermeiro do Amarelo que decepou os braços do desafeto para que ele parasse com a mania de esfaquear os outros, quantos craqueiros havia no Amarelo. Ele respondeu:

— Todos, doutor. Quando aparece um que não é, eu tiro daqui e peço para o pastor aceitar ele na galeria dos crentes.

Os carcereiros de carreira dizem com nostalgia:

— Que saudade do tempo do baseado, doutor! Tinha mais respeito entre a malandragem, o preso fumava e ficava quietinho no seu canto, pensativo, comia e ia dormir. Ninguém perdia a casa da família por causa da maconha. A gente era feliz e não sabia.

O crack abalou a estrutura do poder interno, a moral da malandragem e gerou mais violência. Na compulsão, o dependente gasta o que não pode; depois, chantageia os familiares dizendo-se ameaçado de morte. Quando a família é exaurida, vende os pertences pessoais e, nada mais tendo de valor, rouba, apanha na cara, toma facada, assume a responsabilidade de crime cometido por outros e até mata sob encomenda, em troca de uma pedra para fumar.

O vício está associado à derrocada financeira do usuário. Uma das técnicas que uso para identificar os que não usam crack é olhar o pé deles: se o tênis é novo, certeza, não é craqueiro.

Carlão, que passou um ano na rua e dois na cadeia, fumando crack sem parar e mais tarde ficou livre da droga, chegou ao extremo:

— A pedra veio para derrubar a malandragem, por causa dela vendi até o revólver, minha ferramenta de trabalho. Fui preso assaltando com a faca da cozinha da minha tia.

Dívida em cadeia não tem perdão: não pagou, foge, leva paulada ou morre. Para escapar, a única alternativa é pedir proteção aos funcionários. Estes, quando se convencem da gravidade do caso, transferem o preso para o Amarelo. No próprio Seguro o craqueiro contrai novas dívidas, perde outra vez o ambiente e vai parar na Masmorra do pavilhão Quatro, derradeira oportunidade de sobrevivência.

O pedido de socorro à polícia desmoraliza o ladrão. Uma vez, encontrei a enfermaria em alvoroço porque o Júlio, um bandidão cumprindo vinte anos pela morte de três rivais que o emboscaram num beco de favela, havia pedido refúgio no Amarelo para escapar do acerto de 38 reais com um traficante metade do tamanho dele. No final, um piracicabano sem queixo internado na enfermaria por causa de uma furunculose crônica em ambas as axilas, que o obrigava a andar com os braços abertos feito asa, resumiu com o forte sotaque da cidade natal:

— A pedra acaba com a vergonha na cara do cidadão.

Outra vez, Xanto, o ladrão do Pari que baleou o tio bêbado no peito por não saber dar tiro nas pernas de ninguém, estava revoltado com o companheiro que, na visita, ofereceu a própria mulher ao traficante para saldar uma dívida. O fato da moça trabalhar como prostituta num bar do Ipiranga não serviu de atenuante.

— Não interessa como ela ganha a vida lá fora. Aqui, para nós, ela é mulher de um companheiro e merece respeito. Entregar ela é muita sem-vergonhice de caráter.

A opinião de Xanto não era isolada. No dia seguinte à visita, o craqueiro devedor foi obrigado a juntar os pertences e mudar para o pavilhão Cinco:

— Não se fez merecedor do nosso respeito.

Filó, um traficante franzino do Oito, armador do time do pavilhão, nascido no Canindé, ao lado do campo da Portuguesa, arrombador de residências e pai de duas meninas mantidas por ele em escola particular, dava duas semanas para o craqueiro pagar a droga consumida e nem um dia mais. Em cinco anos de cadeia e tráfico, enviou muita gente para o Seguro, embora reconhecesse a inutilidade do procedimento:

— Que adianta os malucos trancados lá, de canelinha, e eu sem receber aqui?

Um dia, a roda do destino girou e Filó foi transferido para uma penitenciária do interior. Encontrou três ex-companheiros da Detenção, por ele enviados para o Amarelo. Morreu degolado, na noite de chegada.

A cadeia hoje é muito diferente da que conheci ao chegar, em 1989. O crack subverteu a ordem interna. Como as pessoas, as cadeias também mudam com o tempo.

NA PIOLHAGEM

A droga corre atrás do viciado, é o que diz a malandragem.
Duas visitas ao exterior convenceram-me desta realidade. A primeira foi em Rykers Island, a maior prisão de Nova York, quando passei na porta de um banheiro coletivo situado na ala que se mostra aos visitantes e senti um cheiro forte de maconha. A segunda foi na periferia gelada de Estocolmo, numa prisão-modelo vigiada por 350 funcionários treinados, exclusiva para cinquenta jovens loirinhos (sete funcionários por preso), ex-usuários de droga, que todas as manhãs, quando se abriam as celas individuais, eram obrigados a descer para a enfermaria e, na presença do médico, urinar num vidro para exame toxicológico. Volta e meia o laboratório detectava heroína, cocaína, álcool, maconha e até a prosaica cola de sapateiro na urina dos meninos, misteriosamente introduzidas no reformatório-modelo.

Supor que a droga entre na Detenção sem conivência de funcionários ou dos guardas da muralha é discordar da lógica do Pequeno, o baixinho de língua presa que matou quatro PMs:

— O sentenciado pode sair na rua para buscar cocaína, doutor?

É injusto generalizar, entretanto. A maioria dos guardas jamais se envolveu com o tráfico, apesar dos baixos salários e do desalento com a profissão. Além disso, a direção vive preparando armadilhas para surpreender os que "passam para o outro lado", e quando pega o castigo é amargo: cinco ou seis anos de prisão, como vimos.

Fumaça, tipo popular, contador de casos exagerados nos quais inevitavelmente desempenha o papel de protagonista, é testemunha de que a droga não é problema exclusivo do Carandiru:

— Em novembro, completei dezoito anos no Sistema. Já rodei diversas unidades, e em todas pude fumar meu baseado, meu cachimbo de crack (que eu parei faz dois anos, que é sem futuro) e, no tempo do baque, só não tomei porque não gosto desse barato de ficar se picando. É interessante, doutor, não ligo para sangue dos outros, mas me escurece a vista quando vejo o meu próprio.

O mesmo Pequeno da língua presa acrescenta:

— Se a cocaína corrompe a sociedade livre, por que na cadeia, cheia de ladrão, traficante e consumidor, ia ser diferente? Logo aqui, que custa o dobro da rua?

No ambulatório, quando os doentes vinham com tuberculose, eu os proibia de jogar fumaça nos pulmões, viesse ela de maconha, cigarro comum ou crack. Não havia problema em fazê-los entender que a fumaça era prejudicial aos pulmões inflamados. Nas semanas seguintes, quando lhes perguntava se haviam parado, a maioria tinha abandonado a maconha e mesmo o crack, mas o cigarro não. Conseguiam se livrar do crack, mas poucos deixavam o cigarro. Tantos foram os casos que acabei convencido de que a nicotina é a substância que mais dependência química provoca.

O preso que consegue pôr a droga para dentro pode vendê-la. Não é como na rua, em que o traficante é dono de um ponto defendido a bala. Como explica Horácio, um paraplégico filho de portugueses, abandonado pela mulher depois de perder os movimentos das pernas ao bater de moto roubada, uma loira na garupa, contra a traseira de um caminhão:

— O cabeção despeja para os que trabalham para ele. Se ele compra o quilo a 4 mil, vai repassar para nós, intermediários, a 7 ou 8 mil, para dobrar o capital. Eu vou querer vender a grama por 10, por conta do risco. Se rodar é crime hediondo; isso apavora o sentenciado que já tirou um monte de cadeia.

Lenildo, um ladrão que nunca traficou na rua, mas que na cadeia começou a fazê-lo para sustentar as duas mulheres, três filhos e a mãe que sofre de reumatismo, diz que não é fácil escapar vivo no comércio do crack:

— Tem que ser duro na queda, medir o que fala e pesar a consequência do que possa acontecer. Uma vacilada e eu acabo meus dias na ponta de uma bicuda, como aquele mano que o senhor examinou o corpo na semana passada. Só eu contei mais de trinta facadas. Tá louco, doutor, deu vontade de abandonar o Crime!

De fato, eu havia visto o corpo. Era um moço bem forte, moreno, com uma tatuagem no peito: são Jorge num cavalo empinado diante do dragão pondo fogo pela boca. O santo, com estilo, cravava a lança na goela do monstro. Na cintura do guerreiro havia um ferimento perfurante, outro junto à cauda em seta do dragão, mais um resvalando o penacho do capacete do santo e muitos outros golpes. Talvez fossem mesmo mais de trinta.

Tudo consequência de uma transação rotineira. Um consumidor habitual veio comprar 5 reais de pedra para pagar domingo. Desconfiado da insolvência do outro, o rapaz da tatuagem disse que estava sem mercadoria. O comprador contrariado comentou o caso com os amigos. Decidiram enviar um laranja para propor o mesmo tipo de operação ao rapaz da tatuagem que, sem desconfiar, vendeu fiado. Nunca poderia ter dado ao laranja o crédito negado ao freguês antigo. Erro fatal.

Casos semelhantes são tão frequentes que eu não entendia por que eles mesmos não proibiam terminantemente as vendas a fiado. Uma vez tentei reunir alguns líderes da malandragem para lhes propor a adoção de tal medida. Fui desanimado pelo Sarará, um negro loiro com muitas passagens pela Casa:

— Não tem chance de dar certo, doutor. O viciado fica devendo 20 reais e entrega a televisão por esse preço. Dá muito lucro. É o mesmo princípio de que os bancos da rua, o senhor fica devendo 20 mil e eles tomam a sua casa que vale 100. Ninguém acaba com um negócio desses.

Lenildo, que se orgulha de manter as casas das duas mulheres e a da mãe sem nada faltar, explica que o comércio do crack obriga o traficante a tomar medidas extremas, mesmo contra a vontade:

— Eu pego sessenta gramas do cabeção e fico devendo 400 contos. Faço uns papelzinhos, vendo aqui, ali, uns me pagam e outros pedem para esperar o fim de semana. Chega segunda-feira o meu fornecedor quer receber. Se eu não pago, ele vai pôr os óculos na minha atitude.

Diante dessa perspectiva, a preservação da própria vida fala mais alto:

— Então, para que não venha a rodar uma faca para cima de mim que tenho família para adiantar, vou soltar a faca no devedor, dar paulada, jogar água fervendo, para que aquele veja que eu tomei uma atitude diante deste. E assim, um vai vivendo perante a desgraça do outro.

Existem situações, entretanto, em que é mais vantajoso assumir o prejuízo:

— O comprador não pagou? Deixa quieto. Só que aí, na piolhagem, qualquer tipo de acontecimento, numa perca que eu tenha, é ele que vai soltar a faca no meu lugar, justamente para abater aquela dívida. Senão sobra para ele, lamentavelmente.

Apesar da repressão, os meandros do tráfico permeiam o presídio. Cada "cabeção" comanda um grupo de vendedores, que controla os dependentes sequiosos de droga.

— Faz uma rede invisível, secreta, como a máfia.

ÓCIO

Mente ociosa é moradia do demônio, a própria malandragem reconhece. Ao contrário do que se imagina, a maioria prefere cumprir pena trabalhando. Dizem que o tempo passa mais depressa, e à noite:

— Com o corpo cansado, a saudade espanta.

Poderiam, também, aprender um ofício e voltar para casa com alguma perspectiva. Soltá-los mais pobres e ignorantes do que quando entraram não ajuda a reabilitá-los.

Sérvulo, um ladrão de Guaianases, encarregado da enfermaria do Oito que nos dias de atendimento me pedia para trazer dois ou três doentes e aparecia com dez, de cada um dos quais, descobri mais tarde, ele cobrava dois maços de cigarro para conseguir a consulta, vê outra vantagem no trabalho:

— A cadeia seria menos perigosa, com essas mentes malignas ocupadas.

Para servir de estímulo, a lei estabelece que cada três dias trabalhados abatem um dia da pena a cumprir, matemática nem sempre respeitada para quem não tem advogado constituído. Ainda assim, muitos disputam os poucos empregos disponíveis. Outros, no entanto, são mais ortodoxos:

— Trabalhar? Nem na rua, com o meu pai pegando no pé. Aqui dentro, jamais. Questão de princípio.

Um venezuelano naturalizado brasileiro, que ia buscar droga na selva amazônica e depois matava os entregadores por sair mais em conta do que pagá-los, é radical:

— Trabalhar para a sociedade, só depois de morto, se me cremarem e colocarem minhas cinzas num daqueles relógios de ampulheta.

Justiça seja feita, porém: com exceção das atividades ligadas à segurança, as demais tarefas da cadeia são executadas pelos presos — cozinham, distribuem as refeições, lavam tudo, recolhem toneladas de lixo, consertam, levam e trazem, organizam campeonatos de futebol e a Campanha do Agasalho.

A rotina do Casarão é tocada pelos detentos, sem eles seria o caos.

Algumas empresas empregam mão de obra local para costurar bolas de couro, chinelos, colocar espiral em cadernos, varetas em guarda-chuvas, parafusos nas dobradiças e trabalhos similares. Teoricamente, os presos deveriam receber pelos serviços prestados, o que poderia ajudar a família desamparada ou servir de poupança para quando fossem libertados. Na prática, porém, a burocracia para retirar o dinheiro recebido é tanta que muitos aceitam o pagamento em maço de cigarro, a moeda tradicional.

Como trabalho é privilégio de poucos, passam o dia encostados, contam mentiras nas rodinhas do pátio, levantam peso na academia, jogam capoeira no cinema, andam para baixo e para cima, inventam qualquer bobagem para se entreter e, principalmente, arrumam confusão.

O tal venezuelano preocupado com o destino de suas cinzas chama a atenção do visitante que passa desavisado entre os grupos que se formam no campo de futebol do Oito:

— É tanta história de assalto, revólver e troca de tiro, doutor, que precisa passar abaixado entre eles por causa das balas perdidas.

Ao lado do trabalho organizado, que reduz a pena, existe uma economia informal. São os que trabalham sem carteira assinada: lavam roupa para fora, costuram, cortam cabelo, constroem barcos à vela com distintivo dos times de futebol, cozinham (há uma pastelaria numa cela do terceiro andar do pavilhão Oito e uma sorveteria no pavilhão Dois), destilam pinga e armam bancas na galeria — mantimentos, tênis usado, roupa, rádio de pilha, aparelho de TV e foto de mulher pelada.

As compras são à base de troca, pagas com maços de cigarro ou, disfarçadamente, com dinheiro mesmo. O comércio interno é fundamental para a vitalidade da economia; por intermédio dele os bens são redistribuídos, as mercadorias circulam e as dívidas podem ser liquidadas. Num lugar em que os homens recebem apenas comida e a calça jega, todo o resto fica por conta deles:

— Existe custo de vida na cadeia.

Oriundos das camadas mais pobres da sociedade brasileira, nem todos contam com ajuda externa. Ao contrário, a maioria precisa sustentar mulher, filhos e pais idosos, razão pela qual gente que em liberdade nunca se envolveu com droga vira traficante de cadeia para manter a integridade da estrutura familiar.

Nas celas de Seguro e na Isolada, cheias de fumaça de cigarro, trancados o tempo todo, os homens passam o dia conversando e, quando o assunto acaba, olham para a parede. Na experiência de seu Jeremias, pai de muitos filhos com a mesma mulher, a ociosidade pode enlouquecer o homem:

— Antigamente, no tempo da solitária, vi muito nego entrar bom e sair de lá para o manicômio.

Numa dessas celas, na escuridão total, ele passou três meses sozinho. Para se ocupar, jogava uma bolinha de gude na parede e tateava o chão até encontrá-la. Chegou a repetir a operação 177 vezes no mesmo dia:

— Mas, graças a Deus, saí de lá com juízo.

PENA CAPITAL

É universal o ódio aos estupradores. Os ladrões aceitam tudo: agressão física, estelionato, roubo, exploração do lenocínio e assassinos torpes — menos o estupro. A ojeriza a este crime é compartilhada pelos próprios funcionários e pela sociedade em geral. Na periferia de São Paulo, um homem abusou de um menino e o matou. Os jornais publicaram fotografias do assassino e da criança. Numa tarde de sexta-feira, por aparente descuido burocrático, um grupo de presos veio transferido para a Casa sem a direção se dar conta de que o criminoso estava no meio. Do momento em que ele desceu do camburão na Divineia, até sua morte no pavilhão Cinco, passaram-se exatos cinquenta minutos. Tomou tanta facada que quase lhe desarticularam o braço direito.

Marcolino, apontador de jogo do bicho e comerciante de dinheiro falso, que estava para ser libertado naqueles dias, disse que a chegada do marginal no pavilhão não foi surpresa:

— Nós estávamos para lá de prevenidos. Tinha recorte de jornal espalhado nos andares, com a foto dele escrachada. Os manos esfaqueavam e emprestavam a faca para quem vinha atrás na fila. Tomou mais de setenta golpes e, ó, acredite se quiser, morreu sem dar um grunhido. Eu achei aquilo muito esquisito, ó. Credo!

Outra vez, Gilson, um representante de vendas de trinta anos, deu carona no fusca para uma estudante de quinze e fez de tudo para levá-la ao motel. Quando se convenceu de que ela não iria, puxou o revólver e não adiantou choro, dizer que era virgem, nada. Com a menina na mira, dirigiu para um lugar ermo e a estuprou. À noite, enquanto ele assistia ao *Jornal Nacional* com o filhinho adormecido no colo, a esposa e a sogra lavando a louça do jantar, tocou a campainha. Era a polícia:

— Esse fusca parado na porta foi roubado hoje?

Respondeu que não. Quiseram saber, ainda, se ele havia emprestado o carro para algum amigo. Gilson negou e foi algemado.

No distrito, disse aos colegas de infortúnio que havia assaltado um feirante. No dia seguinte, na cela coletiva, um craqueiro iletrado pediu-lhe para escrever uma carta de desculpas à mãe, que havia prometido abandoná-lo definitivamente caso fosse preso outra vez. O representante, no capricho, assim iniciou a missiva: "Querida mãezinha, é de joelhos, com o coração pungente, que peço humilde perdão à senhora. Errado estou, não nego, mas arrependi-me ao cerne de meu ser...".

Ao terminar a redação, o vendedor leu-a para o outro, que, emocionado com a beleza das palavras, não pôde conter o choro.

No meio da leitura, chegou o carcereiro com uma garrafa de uísque pela metade:

— Quem é fulano de tal? Qual é teu artigo?
— 157. Assalto de feirante.
— Feirante, porra nenhuma! Estuprou uma menina de quinze anos, com o revólver na cabeça da coitadinha. Se tivesse malandro com vergonha na cara nesse xadrez, te zoava bem zoado e ainda ganhava meio Drurys de presente.

Irrefutável. Trazia o boletim de ocorrência e tudo.

O rapaz da carta foi o primeiro. Ainda com lágrimas nos olhos, ficou em pé e chutou-lhe a cara. Em seguida, vieram os outros; eram dezoito no xadrez. O estuprador apanhou até perder os sentidos.

Acordou com um balde de água suja no rosto. Estava amarrado às grades da cela:

— Me fizeram segurar uma lâmpada na mão e encostaram um fio descascado na grade. A água que jogaram era para conduzir melhor a corrente. Choque de 220. Só desligavam quando a luz acendia na minha mão. Dava um tranco horrível no corpo, a língua enrolava, depois aquele clarão da lâmpada. Achei que ia morrer. Só pedi a Deus que fosse logo.

Quando se cansaram da brincadeira, o vendedor desabou semiconsciente, cheio de sangue e com o rosto deformado. Nessa hora, urinaram em cima dele.

Aí o Barriga, um ladrão que tinha sido preso entalado na claraboia do forro de uma casa na qual esperava encontrar uma fortuna em joias contrabandeadas, abaixou-lhe as calças:

— Agora vai sentir que nem a mina que você estuprou!

O representante de vendas diz que Barriga não conseguiu penetrá-lo. Cilinho, um ladrão do Cinco que matou a amante infiel e o sócio traidor que planejava fugir com ela e o dinheiro do assalto, testemunha dos fatos no distrito, desmente, discreto:

— Conseguiu sim. Mesmo no estado deplorável em que o cidadão se encontrava. Doutor, aquele barrigudo é mais macho que nós dois juntos!

A direção da cadeia tenta proteger a integridade física dos estupradores recolhendo-os no pavilhão Cinco, no Amarelo ou até na Masmorra. A segurança é relativa, porém, como assegura o Sem-Chance:

— Um dia nós descobre eles. É o curioso que bisbilhota no prontuário, é um mano que conhece o passado sujo do cara ou um funça que não simpatiza, vários modos. É sem chance.

Muitas vezes, ao estuprador é dada a oportunidade de conviver pacificamente com a massa por longos períodos. Um dia, no anonimato de uma rebelião, a turba enfurecida descarrega nele o ódio represado. Nessas ocasiões, são atirados do telhado, esfaqueados ou torturados com requintes de crueldade, como um catarinense que atendi na enfermaria com a língua queimada por uma faca em brasa e infectada pelos micróbios presentes nos excrementos que o obrigaram a ingerir a cada trinta minutos.

A imprevisibilidade do ajuste de contas torna a vida do estuprador um sobressalto permanente. Qualquer movimento fora da rotina pode prenunciar o castigo fatal.

Num ambiente em que o assassino de um pai de família indefeso merece respeito, pode parecer desproporcional a aversão ao estuprador. Seu Lupércio, que se orgulha de nunca haver roubado, embora tenha passado a maior parte da vida na cadeia por causa da maconha, e que anos atrás, no Oito, viu um branquelo, estuprador de meninas japonesas, ser empalado com cabo de vassoura introduzido à marreta, explica a filosofia:

— Não pode deixar essa gente frequentar o ambiente, porque aqui nós recebemos nossa esposa, a mãe e as irmãs. Quem cometeu uma pilantragem dessa, pode recair e faltar com o devido respeito. Eu sou contra a pena de morte no nosso país, mas sou a favor no caso de estupro.

LARANJA

— Laranja é o personagem patético que segura bronca alheia.

É ele que se apresenta como culpado quando o carcereiro encontra uma faca escondida, a serpentina para destilar pinga ou o corpo sem vida. Muitos são recrutados ao chegar nas celas de triagem. Para aqueles que a família traz mantimentos, não faltam amigos e um canto para morar; outros, por sorte, encontram parceiros da rua no pavilhão. Quanto aos recém-chegados desconhecidos e pobres:

— De dez xadrezes que eles pedem vaga, onze negam. Aí, para sair do esgano da Triagem, aquele humilde, despojado de condição financeira avantajada, só tem um jeito: virar laranja, porque os caras exigem que ele segure todas as ocorrências do barraco.

O contingente maior de laranjas, porém, é recrutado nas fileiras do crack. Muitos dependentes assumem delitos de terceiros em troca da droga. O traficante não precisa executar o serviço sujo.

Quando alguém perde a vida na rua Dez, os carcereiros trancam todas as celas até que o culpado apareça. A técnica é infalível, preso nenhum ousa enfrentar o pavilhão inteiro enjaulado por causa dele. No final, quem aparece para assumir a responsabilidade é quase sempre o laranja.

Embora os funcionários saibam que aquele não é o verdadeiro autor do crime ou contravenção, pouco podem fazer contra o código de silêncio que rege a vida no Crime.

Uma vez tratei um branquinho chamado Alfinete, magro feito um cabo de vassoura, que fez carreira nos semáforos da avenida Paulista. Todas as carteiras, relógios e correntinhas roubadas, ele fumou no cachimbo de crack, até ser preso. No pavilhão, usuário contumaz, consumiu 60 reais além de suas posses. Um dia, o credor chamou-o no xadrez:

— Alfinete, já faz uns dias que você me deve. Vai pagar quando?

— Neste momento, estou justamente sem condições, devido que a minha mãe não veio na visita, porque se encontra no hospital com a minha irmã que tomou um tiro no peito, na mesma fita em que o meu cunhado foi chacinado...

O outro o interrompeu:

— Alfinete, é o seguinte: no final da tarde, vai aparecer um finado na rua Dez do quarto andar. Você desce para a Carceragem e se apresenta. Diz que o cara ofendeu a senhora tua mãe que está no hospital, cuidando da filha viúva.

Alfinete assumiu a autoria do crime, na verdade cometido por seis detentos, e foi direto cumprir castigo na Isolada, no térreo do Cinco. Mais tarde, o laranja assim descreveria os trinta dias que passou nesse local, dividindo o espaço com mais cinco:

— Para mim não faltava nada, que os companheiros levavam comida, baseado para fumar e até pinga para criar coragem de encarar a quentinha.

Como a Isolada fica no térreo e a janela é fechada por uma chapa metálica perfurada, os companheiros do lado de fora, no pátio, junto à parede lateral externa do pavilhão, passavam através dos orifícios da chapa, para o interior da cela, um canudo longo na ponta do qual Alfinete sugava a maria-louca diretamente da outra extremidade, mergulhada num inocente bule de café que um dos verdadeiros autores do assassinato, distraído, segurava encostado à parede.

Alfinete assinou a confissão quando havia cumprido dois anos e três meses de uma pena de quatro. Quitou a dívida com o traficante, mas custou-lhe doze anos a mais de pena a cumprir.

Outra vez, cheguei na sala de atendimento médico e notei o clima esquisito. Os enfermeiros separavam as fichas dos doentes em silêncio e trocavam olhares enigmáticos. Perguntei-lhes o que se passava, disseram que não era nada. Dei cinco minutos e repeti a pergunta. A resposta foi idêntica. Comecei a atender os pacientes, e eles calados como túmulos. Resolvi ser mais incisivo:

— Vocês vão contar o que aconteceu ou vou ter que descobrir sozinho?

O chefe deles, um ladrão magrinho, implacável com os inimigos e cujo maior desgosto era o irmão mais novo ter entrado para a PM, sorriu amarelo:

— Caiu uma faca nossa que estava mocosada na estufa de esterilizar os instrumentos. Faca miúda, só para defesa pessoal.

Eles tinham retirado a placa do fundo da estufa, escondido a faca e parafusado novamente. Era pouco provável que os funcionários descobrissem o esconderijo sem colaboração de algum informante. Quando lhes perguntei quem havia assumido a responsabilidade da contravenção, responderam que tinha sido o Peninha, um rapaz esquálido internado em fase final de evolução da AIDS, que virtualmente mal parava em pé.

Seu Lupércio, 82 anos de idade, avalia a situação penal do laranja:

— Juiz não quer saber de laranjice, condena com caneta pesada e manda tirar de ponta. Todo benefício que pede, ele nega.

Se o laranja desce para a Carceragem e assina uma dessas mortes, não tem como voltar atrás. Ao depor, no Fórum, se negar o que confessou antes, corre risco de vida ao retornar à cadeia. Mesmo que seja transferido para outro presídio, é perigoso:

— Morre também, que nós tudo se comunicamos. Todo dia chega e sai gente da cadeia, contando as novidades. É a rádio Boca de Ferro.

A potência da rádio Boca de Ferro é de tal ordem que, mesmo libertado, o laranja arrependido não terá sossego na rua:

— Aí é que morre mais ainda!

Embora o número de laranjas na cadeia tenha aumentado significativamente na era do crack, sua existência não é exclusiva dos tempos modernos, como explica o Filósofo, um moreno de óculos consertados com esparadrapo, estelionatário de muitos golpes:

— Sempre existiu esse indivíduo que segura a morte de alguém e que um dia, devido o caminho sinuoso do destino, ele próprio acabará no bico da faca de uma pessoa que, por sua própria vez, vai pôr um laranja para assumir a morte dele. E, assim, por meio da laranjice, vão-se os filhos queridos de muitas mães, deixando apenas lágrimas que rolam no rosto do sofrimento humanitário.

SANGUE-BOM

— Sai todo mundo do xadrez e encosta as mãos na parede da galeria.

Bebeto estava para lá do quinto sono quando os três funcionários deram essa ordem. Ficou preocupado, havia chegado na cadeia há apenas três dias, mal conhecia os companheiros. Os sete saíram em silêncio e os carcereiros vasculharam tudo. Estavam quase desistindo, quando um deles despregou o fundo de um armário junto à parede e encontrou duas facas. Bebeto surpreendeu-se:

— Eu nem tinha noção que duas bicudas daquelas cabiam naquele espaço.

De quem eram, quiseram saber os funcionários:

— Os manos na maior miguelagem, ó. Vou dizer que não é minha? Uma que os polícias não vão acreditar, outra que eu passo por cagueta, porque se não é minha, é deles.

A solidariedade custou-lhe trinta dias na Isolada. No final, acha que valeu a pena:

— Saí de lá com fama de sangue-bom. Minha caminhada ficou mais fácil na cadeia.

A lei diz que é melhor pagar por crime alheio do que delatar o companheiro. Ao acusado é permitido protestar inocência; dar o nome do responsável, jamais. No caso de punição injusta, o verdadeiro culpado arca com a dívida da gratidão, no mínimo.

Gitano, um ladrão tatuado que trabalhou na enfermaria, recebeu uma carta da mulher. Açoitado pelo ciúme, foi atrás de um gole de maria-louca no pavilhão Oito. Cidinho Bigorna, seu fornecedor, lamentou não poder atendê-lo, estavam na entressafra, após uma batida do choque da PM. Entretanto, condoído pela tristeza do amigo, Cidinho Bigorna conseguiu-lhe uma garrafa de Dreher por 50 reais. Gitano pagou vinte, assumiu trinta de dívida e levou a bebida:

— Para acertar a diferença, vendi umas doses, onde que dei azar, um companheiro ficou bêbado e desrespeitou um funça. Os homens chegaram para saber a origem do conhaque, que se eu entregasse o fornecedor, minha cara estava limpa.

Gitano explicou que o litro havia aparecido pela manhã, misteriosamente, na porta da cela. Pagou trinta dias no castigo, mas poupou Cidinho Bigorna, um ladrão que uma vez cravou o punhal com tanta força na mão de um comerciante japonês que tinha se negado a abrir o cofre, que a lâmina trespassou os ossos e enterrou na mesa. Para seu azar, a polícia chegou em seguida e, ao ver o senhor com a mão encravada na mesa, bateu tanto em Cidinho e nos dois asseclas que ele perdeu a audição do ouvido esquerdo e todos os dentes da frente.

O gesto de Gitano não passou despercebido a Cidinho:

— Sangue-bom. Se ele me dá eu, tinha complicado a situação jurídica da minha pessoa, que eu já agravei a Colônia e não posso dar mancada, senão perco o benefício. Mas não deixei passar batido, usei minha aproximação com um funça para levar uma lata de goiabada para ele, na Isolada, que ali é um mês na quentinha pura, sem recorte.

Esse tipo de reconhecimento respeitoso não se aplica aos laranjas, desprezados por assumir a culpa alheia por motivo considerado torpe: covardia, perdão de dívida ou imediata recompensa. A diferença entre o sangue-bom e o laranja é muitas vezes sutil, pois envolve a motivação que levou ao ato, como explica seu Chico, um ex-marinheiro que matou o cunhado, foi preso e não viu mais os filhos, porque, em retaliação, a mulher disse a eles que o pai havia morrido na penitenciária:

— O laranja assume em troca de vantagem imediata, é toma lá, dá cá. O sangue-bom ajuda o companheiro sem saber se um dia vai ser recompensado; merece nosso respeito porque é um altruísta.

TRAVESTIS

No início, com os travestis, meu problema era a identidade. Sentava-se frente à mesa um homem de seios e gestos delicados em cuja ficha eu lia Raimundo da Silva, mas que todos chamavam de Loreta. Como o médico deve se dirigir a essa pessoa? Raimundo, toma o remédio, ou Loreta, minha filha?

Logo percebi que o certo era Loreta. Tratá-las como mulher não as ofendia, muito pelo contrário.

A trajetória do travesti é marginal. Vêm todos das camadas mais pobres, e quando saem à noite, de seios crescidos e saia agarrada, são automaticamente identificados como perigosos, independentemente do que tenham feito. Presos, vão para o distrito. Os delegados procuram alojá-los em celas especiais, mas quando não há espaço, o que fazer? Espremidos no meio de homens, numa situação em que muito valente corre perigo, curiosamente o travesti encontra força na fragilidade feminina e impõe respeito.

Na Detenção, a maioria vive no quarto andar do pavilhão Cinco, mas há outros espalhados pela cadeia. Nem tudo são rosas entre elas; brigam e falam mal umas das outras, porém se unem diante do perigo, por instinto de sobrevivência.

O negro Jeremias diz que nos velhos tempos a cadeia era diferente:

— Tinha menas travesti e mais bicha.

Diz que uma delas, de cabelos compridos, conhecida como Índia, fazia as unhas do diretor, o temido coronel linha-dura.

— Era linda. Quando a irmã dela vinha na visita, não diferenciava da outra.

Quando os mais novos lhe pedem, e só nessa condição, seu Jeremias, sobrevivente de muitos conflitos, dá o seguinte conselho:

— Se você vem na galeria e vem uma bicha vindo, é melhor passar de cabeça baixa. Já vi muita morte porque foram contar que o cara olhou para a bicha do outro.

Tem razão, os maridos são possessivos. Mulher de cadeia casada jamais circula pela galeria, e para descer ao pátio, só acompanhada. Para casar, o marido deve estar em boa situação financeira, pois a ele cabe o sustento da casa; a ela, a submissão ao provedor. De forma velada, alguns condenam, mas a união é respeitada socialmente.

O parceiro passivo não é considerado do sexo masculino. Nos estudos que conduzimos, não bastava perguntar se mantinham relações homossexuais. Era preciso acrescentar: e com mulher de cadeia?

Antes das visitas íntimas, a homossexualidade era prolífica. Uma vez, dei o resultado positivo do teste de AIDS para um ladrão desdentado e perguntei-lhe se havia usado droga injetável no passado:

— Nunca. Peguei esse barato comendo bunda de cadeia. Muita bunda, doutor!

Travestis solteiros movimentam-se sem perigo no meio da malandragem, desde que saibam se colocar no devido lugar. Em caso de desavença com algum ladrão, podem se defender verbalmente, como fazem as mulheres, porém jamais chegar às vias de fato como os homens.

Uma vez, dois traficantes do Oito foram ao Cinco cobrar uma dívida e se desentenderam com os devedores e os amigos destes. Foram esfaqueados. Entre os agressores, um travesti. Problema grave: o pessoal do Oito não deixava por menos, queria invadir o Cinco. Conflito de sérias proporções — são pavilhões apinhados — contornado pela esperteza e persistência do diretor do pavilhão.

A revolta do Oito não era por causa da agressão, corriqueira em cobrança de dívida, mas pelo fato de um travesti haver participado. Zacarias, um asmático em crise, faxineiro do Oito, queixou-se ao seu Valdir, funcionário do Cinco:

— Olha a que ponto chegou a cadeia, hoje em dia até puto dá facada em ladrão!

Quando vêm para a Detenção, os travestis estão há tempos longe da família. Sem ajuda no presídio, ou casam ou continuam na prostituição, como antes na avenida. Neste caso, a preço vil, a troco de uma lata de óleo, um bom pedaço de frango ou uma pedrinha de crack.

Patrícia Evelin, de cílios postiços, foi condenada porque matou um cliente que não quis pagá-la numa travessa da avenida Indianópolis e, o que mais a revoltou, foi estúpido, enxotou-a do carro feito uma cachorra. Um dia, ao pedir uma banana a mais para o faxina que distribuía o almoço, Patrícia recebeu uma proposta indecorosa:

— Só se você der uma cara aqui, para o ladrão.

Hoje ela ri. Diz que foi o michê mais barato da vida:

— Fazer o quê, estava louca por uma banana.

A AIDS foi devastadora entre os travestis da Casa. Chegavam na enfermaria com tuberculose avançada, feridas no períneo, os seios definhados pela interrupção da pílula de hormônio e o silicone industrial infiltrado nos músculos caquéticos. Sofrimento para mulher de verdade. No final, restritos ao leito, ainda sorriam com meiguice feminina. Perdi a conta de quantos morreram.

INOCÊNCIA

Em inocência, a cadeia é farta. Na primeira conversa, o observador se convencerá de que ninguém é culpado. São todos vítimas de alguma armação da polícia, de um delator, do advogado sem-vergonha, do juiz, da mulher ingrata ou do azar.

Paulão é um mulato de quarenta anos, meio gordo, de sorriso agradável e barba cerrada, que vivia em movimento pela enfermaria. Durante meses, nosso contato ficou restrito ao café que ele trazia no meio da tarde, num copo com friso de ouro e uma índia com maiô de oncinha. Na primeira vez, levei a bebida à boca com uma cerimoniosa preocupação que, para minha surpresa, mostrou-se descabida: o café era forte e amargo, um alento no ambulatório interminável. Uma tarde, ele veio com o copo da indiazinha no intervalo entre dois atendimentos:

— Paulão, queria agradecer essa gentileza. Toda vez, café fresquinho. Vou te trazer um pacote, não é justo você gastar do seu.

— Não faça isso, doutor, vai me entristecer. É um prazer que eu tenho.

— Quanto é tua pena, Paulão?
— Ainda não fui julgado.
— Assalto?
— Não, doutor, que é isso! Estou no aguardo do julgamento devido um rapaz que morreu na vila onde eu moro.

— Quem foi que você matou?
— Mataram meu irmão. Depois de uns dias, o assassino teve um encontro com a morte. A suspeita recaiu-se sobre a minha pessoa. Uns dizem que fui eu, mas não viram, e outros dizem que viram que eu não fui. E, nessa de uns achar que fui eu sem ver e outros ver que não, eu estou aqui na expectativa do que o juiz vai decidir.

Meses depois, no julgamento, o juiz o condenou a treze anos e quatro meses.

RICARDÃO

Era noite sem lua. O camburão encostou na Divineia e os dezoito presos desceram algemados. Diante deles, o guarda de plantão resmungou:

— E depois dizem que vão desativar a Detenção.

Como protesto contra a superlotação, os dezoito haviam destruído as celas do distrito em que se encontravam:

— Sempre a mesma história: resolvem todos os problemas do Sistema despejando mais gente em cima de nós.

No escuro da Divineia, um carcereiro à frente do grupo e dois atrás, em silêncio, o cortejo entrou à esquerda pela porta do pavilhão Dois, parou na Carceragem para os procedimentos burocráticos e foi encaminhado à cela da Triagem, no térreo. Um funcionário parou à porta, até todos estarem reunidos. Abriu. A luz estava acesa.

Um dos membros do grupo de depredadores, Zildenor, por ironia preso numa loja de brinquedos quando comprava honestamente um trenzinho para os filhos com dinheiro roubado num assalto, não pôde acreditar que os carcereiros iriam trancá-los ali:

— A maior caloria lá dentro. Mais de trinta ladrões deitados no chão.

Alguns dormiam em colchões de espuma, outros sobre cobertores iguais aos dos craqueiros que perambulam pelo centro de São Paulo. Barbantes esticados de uma parede à outra serviam de varal para a roupa molhada. Sacos de plástico com pertences pessoais pendiam dos pregos na parede. Uns poucos privilegiados penduravam redes no alto e pairavam acima dos demais (são conhecidos como "morcegos").

Zildenor conta que a chegada dos transferidos revoltou os ocupantes da Triagem:

— Quando se viu que nós era em dezoito, começou o bate-fundo. Reclamação pra caramba, que não tinha condição, que não cabia mais, que eles iam matar um de nós para reforçar os argumentos. Mas os funças puseram a gente para dentro, que eles não estão nem aí para sofrimento de ladrão.

Um carcereiro ainda justificou:

— É para ninguém se queixar que aqui falta calor humano.

Dentro da cela, os transferidos explicaram aos companheiros irritados que não estavam lá por opção; haviam quebrado o Distrito. Zildenor até ressaltou um ponto em comum:

— Justamente, nós era vítimo do mesmo processo: a superpopulação do sistema presidiário do país.

Não foi fácil aquietar os revoltados, que viviam naquele calor, trancados o dia todo, com as muquiranas picando e se escondendo nas dobras da roupa. Com muito custo as coisas se acalmaram e os dezoito se acomodaram em volta do vaso sanitário, como rezam as leis da prioridade. Para eles, foi até um alívio:

— É que no distrito estava um esgano monumental. Precisava fazer turno para dormir: uns deitavam, o resto ficava em pé, espremido, sem poder encostar no outro, que é tudo homem com homem.

Na noite seguinte, chegou na Triagem um branquinho de olhos claros com os pertences embrulhados numa folha de jornal. Entrou quieto e tomou posição ao lado do vaso.

Um pouco mais tarde, um moreno de fala fanhosa deitado perto da janela identificou o branquinho como o amante de sua mulher.

Assunto grave: namorar mulher de detento desperta ódio coletivo na cadeia. Vi diversos assassinatos causados por esses triângulos amorosos: marido que vai preso, mulher que arruma outro, que mais tarde cai no mesmo presídio do rival desconsolado. Seu Aparecido Fidélis, funcionário antigo que garante haver conhecido ou pelo menos passado na porta de todos os salões de baile de São Paulo, afirma que é mais fácil uma esposa abandonar o marido na cadeia do que a amante vir a fazê-lo.

Da janela, o fanhoso gritou:

— Tu bateu no meu reconhecimento, maluco. Descolei que você é o Ricardão da minha mulher. Agora, vai morrer!

Zildenor classificou assim o incidente:

— Um caso de Ricardão e dona Maria Faltosa.

O fanhoso preterido avançou na direção do loirinho, mas a turma do deixa-disso interveio:

— Deixa disso, cara, vai tirar um montão de cadeia, tua pena é pouquinho. Na rua você acerta esse pilantra.

O argumento aguçou o bom-senso do marido traído, que resolveu se vingar de forma menos radical:

— Está bom, eu não mato o Ricardão filho da puta, mas ele vai ter que pagar com a mesma moeda que fez na minha mulher. Vou subir nas costas dele!

O branquinho, humilde, procurou demovê-lo de tal intenção:

— Não faz isso, cara, eu sou HIV, não vai ser bom. Eu já vou morrer mesmo, você vai querer pegar AIDS também?

Nesse momento, levantou no canto um gordo desdentado, ladrão de muitas entradas na Casa:

— Deixa o alemão para o tiozinho aqui. Não tem problema, eu também sou HIV!

Zildenor conta que, lamentavelmente:

— O alemãozinho foi obrigado a entrar na do grandão do canto.

No dia seguinte, percebendo que Zildenor era novo como ele no xadrez, o branquinho veio chorar as mágoas:

— Pô, cara, eu contei uma mentira, inventei essa história que não tem nada a ver. Eu não sou HIV.

Zildenor confortou o rapaz:

— Não esquenta não, o patrício do canto também não é.

A ojeriza à figura do Ricardão foi captada sem piedade por um PM que guardava a muralha paralela aos fundos do pavilhão Oito. Em seu plantão, às dez da noite pontualmente, ele saía da guarita, deslocava-se até um ponto escuro da muralha, próximo às janelas do pavilhão, e batia com o capacete três vezes: bum... bum... bum:

— Aí, ladrão, você na tranca e ela lá, fodendo com o Ricardão.

Seguia-se um longo silêncio, rompido invariavelmente pela mesma voz de tenor:

— Gambé, filho da puta!

Era a senha para um crescendo infernal de impropérios:

— PM corno do caralho! Vou contar pra tua irmã na visita de domingo! Já comi tua mulher de quatro! Vai buscar tua mãe na zona, gambé!

A gritaria atingia o nível máximo de intensidade, ininteligível, e decrescia até se calarem as últimas vozes. Impassível, com a silhueta na penumbra, o PM aguardava a volta do silêncio. Então batia novamente o capacete contra a muralha: bum... bum... bum...

— Aí, ladrão, você na tranca e ela lá, fodendo gostoso com o Ricardão.

QUEBRA-CABEÇA

Anos atrás, num inverno, o clima ficou pesado no pavilhão Cinco. O diretor de Disciplina recebeu queixas de que os faxinas cobravam proteção para estupradores e dívidas de droga diretamente das visitas:

— É o seguinte, minha senhora, se não trouxer o dinheiro no fim de semana que vem, seu filho vai morrer!

Diante dessa inadmissível contravenção às leis da malandragem, segundo as quais um preso, por mais intimidade que tenha com o companheiro, só pode se dirigir a um familiar do outro se convidado a fazê-lo, seu Luís, diretor de Disciplina, chamou Jocimar, encarregado-geral da Faxina do pavilhão:

— Tenho recebido reclamação de que tem faxineiro extorquindo família de preso, e isso eu não admito. Para evitar consequências desagradáveis para o seu pessoal, é melhor você pôr ordem no pavilhão.

Seu Luís não gostou nem um pouco da justificativa de Jocimar:

— Acho que informaram mal o senhor. Mais a mais, não é todas as ocorrências que eu consigo segurar.

Na segunda-feira seguinte, o silêncio da noite foi interrompido pela gritaria no xadrez de um asmático do segundo andar. O carcereiro-rondante olhou pelo guichê, viu o doente azul de falta de ar e abriu a cela. Os seis ocupantes saíram com facas, renderam o rondante, desceram para a Carceragem e dominaram os cinco funcionários de plantão. Diziam-se ameaçados de morte por ladrões inimigos e queriam transferência para outro presídio.

Nessas situações, apesar da tensão, estabelece-se um acordo de cavalheiros: os funcionários rendidos não reagem e os presos não abusam da violência, para evitar consequências posteriores. Naquele episódio, entretanto, tudo foi diferente, os amotinados agrediram um dos reféns e roubaram dinheiro dos outros. Havia dois faxineiros entre os amotinados.

As negociações prolongaram-se madrugada adentro. Com a chegada do pessoal do diurno o ambiente piorou. Indignados com a humilhação pela qual passavam os colegas, os carcereiros pressionaram a direção para deixá-los resolver o caso à força. Não foi fácil contê-los.

Finalmente os negociadores chegaram a um acordo com os rebelados. Na porta da cadeia, os funcionários rodearam o camburão que iria transportá-los para outro presídio, conforme exigiam.

Nesse momento, com a perspicácia que os anos trazem para certas pessoas, seu Luís, homem encorpado, de óculos, postou-se junto à porta do camburão e dirigiu-se aos colegas cegos de ódio:

— É o seguinte, pessoal: o que esses caras aprontaram é inadmissível. Vamos quebrar eles, mas vocês esperam até eu dar a primeira. Eu sou o diretor de Disciplina, ninguém bate antes de mim.

Além da inegável autoridade moral de quem começou a carreira menino ainda, como carcereiro, e chegou a diretor, seu Luís trazia nas mãos um convincente pedaço de cano de um metro.

No pátio, os presos saíram usando os reféns como escudo. Agitados, os funcionários fizeram um círculo em volta deles, enquanto os soldados da PM guardavam com metralhadoras a entrada do presídio. Quando os presos chegaram na porta do camburão, o diretor de Disciplina, num movimento brusco, com o cano na mão, empurrou-os depressa para dentro do camburão e trancou a porta imediatamente, sem dar tempo para a reação dos colegas indignados. No mesmo momento, voltou-se para eles:

— Nós somos profissionais. Já era, pessoal. Todo mundo para dentro. Já era. Somos profissionais.

Dizem, mas ninguém sabe ao certo, que durante o caminho os ladrões transferidos receberam a surra desejada pelos profissionais frustrados, pelas mãos pesadas dos PMs que os transportaram para um presídio do interior.

Resolvido esse episódio, o diretor de Disciplina encontrou-se diante do seguinte dilema: falar de novo com o encarregado-geral da Faxina seria interpretado como manifestação de fraqueza da diretoria; por outro lado, destituí-lo e colocar alguém no lugar não estava a seu alcance. São os ladrões que escolhem o chefe da Faxina, não ele.

Seu Luís, avô de dois netos e filho de uma senhora de cabelos brancos como algodão que passou a vida preocupada com a segurança dele no meio dos ladrões, percebeu que era sua vez no tabuleiro. Seus subalternos humilhados esperavam vingança; a malandragem, em silêncio, aguardava o movimento seguinte.

Para ganhar tempo, o que não é desprezível na situação em que se encontrava, seu Luís fez um lance ousado: transferiu o encarregado-geral da Faxina para a Penitenciária do Estado e declarou vago o cargo. Com a medida, demonstrou determinação no comando, acalmou os colegas e assustou os ladrões.

Passaram-se dois ou três dias sem encarregado e surgiu o impasse inevitável: quem seria o substituto? Na visão de seu Luís, a Faxina provavelmente escolheria alguém que mantivesse o status quo de extorsões, constrangimento de visitas e falta de respeito com os funcionários. Nas noites maldormidas que se seguiram, cuidando da esposa recém-operada, o cadeeiro chegou a pensar numa medida radical: transferir a Faxina inteira, espalhá-los pelo Sistema.

Abandonou a ideia porque surgiria um vácuo de poder perigoso, e na disputa para ocupá-lo talvez muitos perdessem a vida. Além disso, não se pode esquecer que os faxineiros exercem funções importantes na rotina da cadeia. Já no dia seguinte, quem distribuiria o café da manhã e o almoço? E se por medo, solidariedade ou outro motivo ninguém assumisse as tarefas dos transferidos?

Como diz o velho Lupércio, maconheiro desde o tempo em que se podia fumar baseado, tranquilo, pela rua Direita, pela

Quintino Bocaiuva e na praça da Sé, porque os transeuntes pensavam que era cigarro de palha:

— Cadeia sem comida é dinamite com pavio aceso, doutor.

Os anos passados na diretoria de Disciplina deram tempo para seu Luís organizar uma intrincada rede de informantes com ramificações pela cadeia inteira (se não tivesse tido competência para montá-la, há muito teria perdido a posição que ocupava).

Através dos alcaguetas, pôde avaliar melhor o ambiente no pavilhão. Havia presos revoltados com o proceder dos faxineiros, gente que tinha sido extorquida, humilhada ou simplesmente que desaprovava a conduta deles por razões morais. Descobriu que até dentro da própria Faxina existia um grupo que não compactuava com os métodos empregados pelos companheiros.

Maquiavelicamente, seu Luís lembrou-se do Pirulão, um alcagueta que fez carreira num distrito do centro, passando informações em troca de parte dos bens apreendidos com os ladrões delatados por ele. O passado sujo do "ganso", como são conhecidos esses tipos, aproximou-o do diretor em busca de proteção assim que chegou na cadeia. Seu Luís foi solícito, prometeu-lhe discrição e garantiu-lhe que a massa não teria acesso a seu prontuário criminal. Naquele momento, o diretor nada pedia em troca; um dia, quem sabe? O futuro a Deus pertence, era a filosofia de seu Luís na condução da cadeia.

Pirulão, magro, alto e estrábico, tomava conta da Copa dos funcionários do pavilhão com um grupo de companheiros. Semanas antes, um deles, condenado por estupro, havia sido morto a facadas por seis faxineiros, na saída da Copa.

Seu Luís chamou-o em sua sala e ofereceu-lhe um café:

— Pirulão, desde que você pôs o pé aqui dentro eu tenho te protegido. Fui legal, salvei tua vida. Se da minha boca, Deus o livre, escapasse teu passado de ganso, você era um homem morto. Pois bem, chegou a hora de demonstrar gratidão: quero que você comande o grupo que vai assumir a Faxina.

Pirulão era esperto, seu Luís não precisou explicar tudo, apenas o ajudou a arregimentar os descontentes e aqueles sobre os quais a diretoria tinha ascendência. Com cautela, em poucos dias conseguiu unir trezentos dissidentes ao redor do novo líder, e fez a contabilidade:

— São cerca de duzentos faxineiros. Os números estão a meu favor.

Apesar da vantagem numérica, o diretor sabia que a tomada do poder seria traumática. A essa altura, poderia transferir a Faxina inteira e instalar Pirulão e seus asseclas na chefia, mas ficaria evidente para a malandragem que a polícia estava por trás da armação, e o grupo montado com tanta perspicácia seria considerado por todos um bando de traidores. Muitos pagariam com a vida por esse erro de cálculo.

O velho diretor concluiu, então, que a única solução seria o novo grupo tomar as celas da Faxina, expulsar os derrotados e impor respeito no pavilhão, na melhor tradição do Crime: "Contra a força não há resistência".

Na linguagem da cadeia, seu Luís estava pisando em casca de ovo. Todo cuidado é pouco, pensou ele:

— Violência é remédio difícil de dosar.

O dia da batalha final transcorreu igual a tantos. Às cinco todos subiram. Nos andares, vindo ninguém sabe de onde, boca a boca, como em outras oportunidades, correu o boato de que haveria batida geral da Carceragem atrás de faca, pinga e droga. Quem tinha, correu para esconder.

No horário habitual, o funcionário bateu seguidamente o cadeado na grade. Corre-corre para o xadrez, barulho de ferro, televisão e um cantor no cavaquinho. Rotina total, exceto por um detalhe: não houve a contagem geral, sagrada na cadeia.

Baianinho, um ladrão de olhos puxados, com mais de cem assaltos e duas mortes no prontuário, que morava de graça num dos seis xadrezes com TV, de propriedade de Jocimar, o encarregado-geral recém-transferido para a Penitenciária, sob a condição de nele esconder oito facas e assumir a responsabilidade da posse delas em caso de apreensão, estranhou a falta da contagem:

— Mas como diz que vai ter batida, pensei que era devido a esse pormenor dos fatos. Tudo bem, os polícias não vão achar nada no xadrez nosso; na piolhagem, nós mocosamos todas as facas na ducha de tomar banho.

A mínima perturbação na rotina de uma cadeia deixa os homens apreensivos. Naquela noite, o boato da batida e a falta da contagem criaram um clima de expectativa nas celas. Caiu um silêncio profundo. Mau sinal.

Oito e quinze, ouviu-se movimento na galeria mal iluminada. Roberto Carlos, um ladrão magrinho, com uma Nossa Senhora Aparecida tatuada no peito e cego do olho direito, que tinha recebido alta da enfermaria duas semanas antes, olhou ressabiado pelo guichê de sua cela:

— Não gostei do que o meu olho viu: ladrão solto pela galeria nessa hora, uns dez ou doze. Se vai ter revista, como é que esses caras estão por aí à vontade e nenhum funça por perto?

Atrás dos dez ou doze, subiram mais de duzentos. Rostos cobertos por capuzes do tipo ninja, formaram um corredor polonês duplo por toda a extensão da galeria dos xadrezes dos faxineiros, no segundo andar. Vinham com facas, paus, pedaços de cano e o molho de chaves. Abriram o primeiro xadrez; justamente o do Roberto Carlos:

— Mandaram a gente sair só de cueca, que nós era tudo metido a bandidão, tomador de dinheiro de visita e que nós ia morrer. Dos oito que nós estava, ninguém quis sair em primeiro. Para a gente, naquela hora, nossos dias tinham chegado a termo. Tentamos bater o pé, mas nós estava sem recurso, as facas todas na ducha.

Tivessem sabido antes que o plano seria tomar a Faxina, não as teriam escondido e, principalmente, desobedeceriam à ordem de se recolher às celas na hora da tranca.

Mais experiente que os companheiros de cela, Roberto Carlos assumiu a liderança:

— Já que nós é para encontrar a morte, que seja livre, correndo pela galeria e não feito frango acuado no poleiro. Fiquei só de zorba e saí, que quando o navio vai a pique, o homem sem iniciativa se afoga mais primeiro.

Em treze anos de caminhada pelo Sistema, Roberto Carlos jamais viu tanta faca quanto as que avistou na saída do barraco. Confessa que teve medo:

— Naquele corredor polonês devia ser tudo justiceiro, estuprador, só coisa que não presta, e mais algum ladrão com bronca da gente. Não tinha como esboçar combate, nem explicar que nós estava por fora da fita. Dei três passos e tomei logo uma paulada que encheu o olho de estrela. Mesmo assim tentei me sobressair sobre os companheiros que vinham correndo atrás.

Até chegar na escada, Roberto Carlos tomou sete ou oito pancadas com paus e pedaços de cano. Quando a atingiu, nova surpresa o aguardava:

— Em cada dois degraus tinha um inimigo postado, de ninja.

Um deles, por ironia, empunhava uma das facas que Roberto Carlos havia escondido pessoalmente na ducha e desferiu-lhe um golpe contra o peito:

— Ói, como é o destino! Eu escondo a faca, um cara acha e dá justo em mim, para acertar no coração, só que pegou no ombro. Não sei se ele errou na emoção ou foi obra da santinha tatuada no meu peito.

Desceu a escada aos socos e pontapés até a porta de entrada do pavilhão, onde chegou a respirar aliviado por continuar vivo. Mas, como felicidade de ladrão dura pouco, no trecho da Radial que liga o pavilhão Cinco com o Seis havia outro corredor polonês de calças amarelas e capuzes ninja. Entre estes, dizem que se enfileiravam funcionários com pedaços de cano, porque era o plantão da mesma equipe que havia sido rendida e desrespeitada quinze dias antes. Os cinquenta metros de Radial que separam os dois pavilhões pareceram intermináveis ao ladrão:

— Para mim aparentou mais longe do que o Rio de Janeiro.

Uma a uma, as celas dos faxineiros foram abertas e seus ocupantes expulsos a pau, cano e espetadas de faca. A intenção era despejar e assustar a Faxina, sem acidentes fatais. Estropiados, mas vivos, os faxineiros e seus comparsas foram recolhidos na gaiola de entrada do pavilhão Seis, vizinho. De lá, transferidos para a segurança da Masmorra, do pavilhão Quatro.

Os acontecimentos daquela noite foram seguidos atentamente através das janelas de frente, do pavilhão Oito, com visibilidade parcial para o andar da Faxina desapropriada.

Na manhã seguinte, Pirulão, na condição de chefe do grupo vitorioso, e dois auxiliares diretos cruzaram para o Oito em missão diplomática: debater com a Faxina local as condições para o reconhecimento da nova ordem. Com o apoio do pessoal do Oito, pensaram, o pavilhão dos mais velhos, dos reincidentes, certamente ganhariam o respeito da cadeia inteira.

Reuniram-se num xadrez da rua Dez, longe da vista dos carcereiros. O diálogo foi um pouco tenso:

— Agora vai morrer os três. Primeiro você, Pirulão, que é o chefe dessa patifaria. A gente não vai com a tua fachada que tu defende estuprador, que nem aquele teu considerado que os manos teve o bom gosto de matar. Mais a mais, se queriam tomar a Faxina, tudo bem, é direito seus, só que tinha de ser na luz do dia. De noite, com os manos na tranca, é crocodilagem.

Agarraram os três, trouxeram um latão de lixo e puseram o Pirulão dentro com as mãos amarradas para trás:

— Vai morrer queimado e depois vamos te esquartejar igual Tiradentes.

Nessa circunstância extrema, Pirulão demonstrou sua habilidade de negociador, sem a qual jamais teria chegado na situação em que se encontrava:

— Sabe por que vocês não vão fazer isso? Porque se der quinze minutos e nós três não voltar são e salvo-conduto para o Cinco, os sete companheiros de vocês que estão lá, de castigo na Isolada, vão morrer a pior das mortes.

Após instantes de indecisão, Pirulão e os outros dois foram liberados sob a ameaça de encontrar a morte em qualquer prisão do Sistema para a qual fossem transferidos.

SANTÃO

Na época das palestras do cinema, conheci um assaltante e receptador de nome Santão, que certa vez se desentendeu com um amigo de infância e o matou porque ele o chamou de Zoreia. De fato, Santão havia nascido sem uma orelha, mas detestava o apelido e tinha razão para isso:

— Zoreia é o cara que tem as duas orelhas, mas elas é de abano. O meu caso é diferente.

Santão era o oitavo filho de um carregador do Mercado Central com uma lavadeira da Vila Matilde. Aos sete anos já se defendia: engraxava sapato na cidade, limpava para-brisa de automóvel e vendia rosa para ajudar na despesa. Precocemente desenvolvido, aos treze mudou de rumo:

— É que despertou a curiosidade pelo mais alto: bater carteira, dar trombada e bote no bolso de transeunte.

Quando era preso na rua, os policiais não acreditavam que um mulato forte daqueles, revoltado e sem uma orelha fosse menor de idade e o encaminhavam para o DEIC, como os adultos:

— Ficava recolhido no meio das feras, apanhando da polícia que queria meus crimes e eu só tinha trombadinha, furto de loja e cavalo louco, que era arrancar a carteira da mão da pessoa no momento que ela ia pagar alguma coisa.

O corpo musculoso lhe trazia desvantagem; para a polícia, um assaltante perigoso; para os companheiros mais velhos, um ladrãozinho que só tinha tamanho.

Aos dezesseis anos, dependurado de cabeça para baixo em cinco sessões de pau de arara no presídio do Hipódromo, tomou a decisão de mudar de vida.

— Nessa aí eu falei: preciso fazer alguma coisa mais grave para ter o que dar para os homens na próxima vez que eles me pendurar.

Abandonou o centro e foi assaltar casa, supermercado e caminhão de entrega. Acabou no pavilhão Nove da Detenção, condenado a dezoito anos. Na cadeia, com o tempo conformou-se:

— Se eu continuasse do jeito que eu vinha, tinha morrido ou ficado paralítico. A vida no crime deixa a gente embriagado de sucesso.

Essa era a história dele. Quando o fato que contarei a seguir se passou, tínhamos concluído o estudo mostrando que 78% dos travestis da Casa estavam infectados pelo vírus da AIDS. Impressionado com o número, combinei com o Waldemar Gonçalves dar uma aula para os travestis. O Waldemar conversou com o grupo preso no quarto andar do Cinco e acertou para uma sexta às oito horas, no cinema.

No dia, cheguei no cinema do pavilhão Seis meia hora antes. Foi sorte, porque o céu escureceu e uma tempestade cheia de relâmpago e trovão cortou a luz da cadeia. Ninguém havia chegado. Entrei sozinho, na penumbra, e fui para a janela oposta à porta de entrada ver a chuva. Meu olhar ficou entretido com a água que caía sobre a muralha e na fachada do pavilhão Cinco.

Num dado momento, sem querer, notei um vulto. Era um mulato alto, de camiseta branca, na soleira da porta de entrada, a uns vinte metros de mim. Ficou um tempo ali, quieto, olhando na minha direção. Depois virou as costas e foi embora. Eu, de lado na janela, fingi não ter notado a presença dele.

Passou um pouco, chegaram dois outros que se encostaram nos batentes da porta. Em seguida, voltou ele e se colocou no meio dos dois, com o peso do corpo apoiado na perna direita e a outra jogada displicente para a esquerda. Os três não trocaram uma palavra. Senti medo, naquele escuro, sozinho, o temporal ensurdecedor.

Perdi a noção do tempo. O mulato de camiseta branca começou a vir devagar, na cadência da malandragem. Os outros dois continuaram parados na porta. Quando ele cruzou metade da distância que nos separava, desisti de demonstrar que estava tudo normal e virei o corpo na direção dele.

Ele empinou o queixo no rosto escuro. Fiz o mesmo, o coração disparado, e esperei-o chegar. Quando estava mais perto, mudei o peso do corpo para a outra perna e coloquei as mãos na cintura, como açucareiro, de frente para ele, queixo para o alto, em sincronismo completo com a expressão de seu rosto, agora possível de enxergar.

A dois passos de mim ele abriu um sorriso e me estendeu a mão.

— Firmeza, doutor?
— E aí, meu?
— É o seguinte, doutor, queria colaborar com o senhor nesse trabalho do cinema. Ó, o maior respeito!
— Você sabe mexer com equipamento de som?
— Dá para me ajeitar, doutor. Na rua, trabalhei com receptação de eletrônicos.

Combinamos que ele iniciaria na semana seguinte. Apertou minha mão com força e sorriu de novo. Perguntei como faria para encontrá-lo:

— É só chamar pelo Santão, todo mundo conhece.

MULHER, MOTEL E GANDAIA

Santão veio ajudar na montagem do equipamento. Um dia, no final de uma palestra apareceu com a seguinte conversa:

— Doutor, sem querer abusar do prestígio que eu tenho na sua amizade, será que o senhor podia espiar o Ezequiel, um considerado meu que está padecendo do pulmão, lá no Oito?

O xadrez de Ezequiel estava repleto de mulheres coloridas. Eram tantas que perdiam a individualidade, formavam um mosaico que cobria a parede e a porta. Na cama de baixo, jazia ele, sem dentes na frente, desidratado, com febre alta, dor no peito e o rosto escorrendo suor.

Ezequiel contou que havia cumprido pena por tráfico e receptação, numa penitenciária do interior. Uma noite, nesse lugar, viu dois carcereiros retirarem um preso do xadrez. No dia seguinte, o rapaz apareceu morto. A versão foi de que havia tentado fugir. Inconformado, Ezequiel denunciou os dois ao diretor do presídio. Anos mais tarde, transferido para a Colônia Penal, em regime semiaberto, Ezequiel deu de cara com os mesmos funcionários, que para lá haviam sido designados em consequência do caso anterior. Ele concluiu com pesar:

— A Colônia não é um mar de rosas como dizem.

Prevendo o pior, sete dias depois Ezequiel saiu para o trabalho e não voltou. Conformou-se:

— Eu pensei de um jeito, mas o destino traiçoeiro quis outra coisa.

Numa casinha que inundava, na beira do córrego da Vila Joaniza, ele encontrou os pais idosos passando necessidade e a irmã mais velha com quatro crianças, abandonada pelo marido. Assumiu o comando da família. Fugitivo, não tinha endereço fixo, mas aparecia na casa dos pais para almoçar ou jantar. Nem bem terminava a refeição e já estava na rua outra vez:

— Uma coisa de bom eu tenho, estou no crime faz tempo e nunca invadiram a minha casa. Não dou esse tipo de liberdade para a polícia.

Para recomeçar, um amigo emprestou-lhe duzentos gramas de cocaína. No tráfico, logo aprumou. Poucas vezes teve que dormir nos hotéis da Boca do Lixo, com as prostitutas do baixo meretrício; passava as noites na casa de mulheres usuárias da droga em São Paulo, Santos e São Vicente.

— A vida fugitiva é agitada: mulher, motel e gandaia. No meio da noite, o senhor está numa boate tomando um birinaite, toca a sirene lá longe e pronto: já acha que são os homens. Está no centro da cidade, passa um carro da polícia, dá um frio no espinhaço, onde tem cara que foge e é preso de bobeira, quando o barato nem era com ele. É uma vida desassossegada permanente.

Ganhava bem, comprava a 250 o grama e revendia a 600 ou 700. Entregava de moto, pessoalmente. Faziam-no entrar e ofereciam-lhe bebidas importadas. Confiavam tanto que até cheque lhe passavam. Ezequiel depositava-os na conta da irmã, que desde criança o protegia. Devagarinho, acertou a vida da família, uma casinha mais no alto, provisões na despensa e as crianças arrumadas pela irmã caprichosa. Para poupá-los, dizia-lhes estar no ramo de compra e venda de automóveis.

— Nesse interinho, arrumei uma namorada que trabalhava na Telesp e tinha conhecimento desse pessoal da sociedade, advogados, médicos, gerente da Bolsa de Valores e um cara que fazia propaganda na TV, gente de Primeiro Mundo que gostava de mim porque eu só vendia da pura, desbatizada. Inclusive, um cliente meu, o maior bicheiro da zona sul, cujo nome não posso nomear, dizia que eu era um moço muito honesto.

Um dia, um de seus fregueses foi preso e a situação complicou:

— Devem ter arregaçado o elemento de um jeito que ele deu eu como traficante. Entregou até a placa da minha moto que estava no nome do meu pai. Puxaram a filiação e deu eu, em dívida com a Justiça e tal.

Dias mais tarde, ele estava sentado no cavalete da moto, tomando um sorvete, quando surgiram dois revólveres por trás:

— E aí, Ezequiel dos Santos, como é que vai o fugitivo?

Um dos policiais, de óculos escuros, fez a revista, enquanto o colega de barba guardava distância. Ezequiel estava desarmado.

Passado o susto inicial, ele perguntou se havia possibilidade de acerto:

— Os homens queriam oitocentos contos ou eu voltava para a cadeia. Respondi que já tinha tirado dez anos, sofrido o pão que o diabo amassou, que os velhos dependiam de mim e tal e mais a irmã e os sobrinhos, que eles não iam ganhar nada me prendendo, que eu não praticava o mal para a sociedade, só vendia para quem queria comprar. Aí, naquela de pá e pá, acabou que eles ficaram com a moto, que valia quatrocentos, em troco da liberdade.

Sem a moto, perdeu agilidade no atendimento da clientela e as vendas caíram. Contraiu dívida com o fornecedor que trazia da Bolívia.

A solução para a crise veio através do tal gerente da Bolsa de Valores, numa boate da Vila Olímpia. O rapaz cheirou uma nova partida, espreguiçou-se, pôs o braço no ombro de Ezequiel e cochichou:

— Você é gente boa, cara, só me traz farinha pura. Quer saber? Vou te dar um lance de meio milhão de dólares. Você merece!

Ezequiel, então, soube que a namorada do rapaz da Bolsa era secretária de um doleiro dos Jardins que guardava 500 mil dólares no cofre de casa. O corretor deu o endereço do doleiro, contou que ele tinha três filhos e que a esposa andava de cadeira de rodas por causa de um acidente.

— Resolvi caprichar no planejamento do plano. Passei dez dias na campana do cidadão.

Descobriu que o doleiro saía às seis do escritório e ia direto para casa. De início, pensou dominá-lo na saída, levá-lo para casa e obrigá-lo a abrir o cofre. Abandonou a ideia, por achar complicado sequestrar alguém em plena Faria Lima, no horário de movimento. Achou mais prudente entrar na residência da futura vítima, no final da tarde, manter como reféns a senhora da cadeira de rodas, as crianças e as duas empregadas, e aguardar a chegada do doleiro, que não teria alternativa.

Para executar o assalto, precisava de um parceiro e de um carro veloz. Lembrou-se do Alcindo, de Santo André, que havia cumprido pena com ele na cadeia de Presidente Wenceslau.

— O Alcindo tinha fama de melhor piloto do ABC, inclusive ganhou a alcunha de Ayrton.

Acertaram tudo para uma quarta-feira. Na véspera roubariam o carro, que ficaria escondido na casa de Alcindo. Na porta do veículo pintariam em letras brancas: "Floricultura Rosa Gardênia", e, na hora marcada, chegariam na casa do doleiro com as flores para entregar. Os passos foram ensaiados diversas vezes. Tudo perfeito, já faziam planos para os dólares. Como no episódio da Colônia Penal, no entanto, o destino traiçoeiro mais uma vez decidiria de outra forma.

Terça-feira, saíram atrás do automóvel. Não estava fácil, Alcindo era exigente com a qualidade do veículo. Depois de muito andar, encontraram um casal discutindo num carro que pareceu adequado ao piloto. Apresentaram-se com um revólver em cada janela. O rapaz não esboçou reação, pediu-lhes apenas que deixassem a noiva em paz. Eles explicaram que lhes interessava só o automóvel e saíram por São Caetano.

Dobraram três ou quatro esquinas e, quando iam respirar aliviados, surgiu não se sabe de onde uma viatura do tático móvel com sirene e tudo. Começou a perseguição:

— Os homens vinham pendurados nas janelas, com os pneus cantando e as armas apontadas. Só não atiravam porque tinha muito carro em volta. Naquele aperto, descobri que o Alcindo, de Ayrton não tinha nada, estava mais branco que ambulância. O trânsito abria por causa da sirene e ele feito barata tonta esbarrava nos carros, só no descontrole do sistema nervoso.

Quando entraram no viaduto da GM, em São Caetano, colidiram de frente com o Gol de um rapaz que levava a esposa grávida ao médico. Com o impacto, Ezequiel desmaiou.

— Acordei na porta do hospital, mas os caras me deram um rasgo, uma coronhada Luger de 9 milímetros no queixo, que eu caí fora de si outra vez.

Na mesma noite recebeu alta. Ao chegar no distrito, foi informado de que o proprietário do carro roubado era da Rota e havia telefonado para a polícia, que iniciou a perseguição. Para piorar, o rapaz do Gol abalroado, com a esposa grávida, era investigador do DEIC. A dupla coincidência tornou o castigo mais pesado:

— Perdi sete dentes e ainda tive que arrancar o único que sobrou sozinho, na frente. Me penduraram pra valer; tomei tanto bicudo de coturno no costado que tenho problema até hoje quando o tempo esfria.

Os homens chutavam e diziam:

— Se a criança do cara morrer, nós vamos acabar com a tua raça, vagabundo!

Ele jurava ter paixão por criança, que era louco pelos sobrinhos, principalmente o caçula, afilhado de batismo, e que jamais tivera intenção de matar um inocente no ventre da mãe. Não adiantava, era chute na boca, nas costelas, e máquina de choque no corpo molhado.

— Dia de azar, doutor. O cabrito para o pinote era de um cara da Rota, a trombada no Gol do investigador, ainda mais com a mulher grávida, e o Alcindo, de Ayrton, só o vulgo. Culpa minha que entrei nessa, cara criado em favela vai dirigir bem com 22 anos de idade? Nunca teve carro!

As recordações não pareciam confortá-lo:

— Está difícil, doutor. Subo a escada do pavilhão sem fôlego, arqueado como um velhinho e ainda agoniado com o sofrimento da família sem mim, passando dificuldade.

MARIA-LOUCA

Ezequiel curou-se da tuberculose e ficamos amigos. Era o mais respeitado destilador de maria-louca do pavilhão Oito. A fama de sua pinga atraía fregueses da cadeia inteira.

A tal de maria-louca é a aguardente tradicional do presídio. Segundo os mais velhos, sua origem é tão antiga quanto o sistema penal brasileiro. Apesar da punição com castigo na Isolada, a produção em larga escala resistiu. O alto teor alcoólico da bebida torna os homens violentos. Eles brigam, esfaqueiam-se e faltam com o respeito aos funcionários que tentam reprimi-los.

A opinião de Ezequiel sobre a própria arte não primava pela modéstia:

— Só vendo da boa e da melhor. Se eu ponho a minha pinga numa colher, o senhor apaga a luz e risca um fósforo, sai um fogo azul puríssimo. Que muitos tiram, mas nem pega fogo; sai um vinagre. Eu tiro uísque.

O milho de pipoca que a mãe lhe trazia, sem saber a que se destinava, era a matéria-prima de Ezequiel: num tambor grande comprado na Cozinha Geral, juntava cinco quilos de milho, com açúcar e cascas de frutas como melão, mamão, laranja ou maçã. Depois, cobria a abertura do tambor com um paninho limpo e atarraxava a tampa, bem firme:

— Esse é o segredo! Se vazar, o cheiro sai para a galeria e os polícias caem em cima, que eles é sujo com pinga. Diz que o cara bebe e fica folgado com a pessoa deles. Do jeito que eu fecho, doutor, pode passar um esquadrão no corredor com o nariz afilado, que pelo odor jamais percebe a contravenção praticada no barraco.

Durante sete dias a mistura fermenta.

— No sétimo, a fermentação é tanta que o tambor chega a andar sozinho, parece que está vivo.

Devido à pressão interna, todo cuidado é pouco para abrir o recipiente. Aberto, seu conteúdo é filtrado num pano e os componentes sólidos desprezados. Nessa hora, a solução tem gosto de cerveja ou vinho seco. Um golinho dessa maria-louca amortece o esôfago e faz correr um arrepio por dentro. Cada cinco litros dela, vai virar um litro de pinga, depois de destilada a mistura.

Na destilação, o líquido é transferido para uma lata grande com um furo na parte superior, no qual é introduzida uma mangueirinha conectada a uma serpentina de cobre. A lata vai para o fogareiro até levantar fervura. O vapor sobe pela mangueira e passa pela serpentina, que Ezequiel esfria constantemente com uma caneca de água fria. O contato do vapor com a serpentina resfriada provoca condensação, fenômeno físico que impressionava o bigorneiro, nome dado ao destilador da bebida:

— Olha a força do choque térmico! Aquilo que é vapor se transforma num líquido!

Na saída da serpentina emborcada numa garrafa, gota a gota, pinga a maria-louca. Cinco quilos de milho ou arroz cru e dez de açúcar permitem a obtenção de nove litros da bebida.

— Sai limpíssima, é a coisa mais gostosa do mundo. Do bom e do melhor. Pinga minha não dá sede de madrugada, nem vontade de urinar, e não incha os pés.

Quando começou, Ezequiel era um dos poucos bigorneiros do Oito. Trabalhava muito, das oito da noite às três e meia da madrugada, porque isso não é trabalho que se faça à luz do dia. Ganhou prestígio:

— Vendia o litro por uma paranga de 10 contos. Hoje qualquer vagabundo tira pinga, sai um vinagre azedo e custa os olhos da cara: 30, 40 contos o litro. Os caras perdeu a noção.

Cuidadoso, Ezequiel nunca foi pego por desleixo na prática de seu ofício:

— As três vezes que a casa caiu, foi por crocodilagem.

Na primeira, passou noventa dias num cubículo com mais oito, no calor do verão. Nas duas outras, pegou apenas trinta dias. Os tempos haviam mudado, a mãe até armou um esquema para visitá-lo nos finais de semana.

Orgulhoso de seu trabalho, Ezequiel só abandonou a maria-louca quando caiu gravemente enfermo. Malandro esperto, nunca se interessou pelo lucro fácil da cocaína:

— Doutor, eu tenho quatro inquéritos de 157, tudo assalto. Nunca fui pego com droga. Se eu entrar em cana mexendo com crack aqui dentro, vou cair no 12, tráfico. Já se trata de um artigo diferente, adquirido na própria cadeia. Crime contínuo; crime como fantasia, o juiz poderá argumentar. Vai querer tirar eu como irrecuperável e negar todos os benefícios.

O pavilhão Oito, dos reincidentes, é por tradição o maior produtor da maria-louca que abastece a cadeia, seguido pelo Cinco. Nele, em maio de 1998, numa única batida foram encontrados mil litros da bebida. Diante do meu espanto ao saber da quantidade apreendida, um funcionário comentou:

— Pode parecer muito, doutor, mas não se esqueça de que são 7 mil presos.

De fato, os mil litros de maio não quebraram a marca de uma apreensão anterior: 1200 litros destilados, prontos para a venda.

MIGUEL

Miguel assaltava com o parceiro, Antônio Carlos. Confiavam tanto um no outro, que assumiram o compromisso mútuo de cuidar das duas famílias caso um deles fosse preso. Num assalto a um supermercado, conseguiram um bom dinheiro e aplicaram em cocaína. Prosperaram e continuaram no ramo, pequenos comerciantes de Taboão da Serra.

Um dia, vinham com dois companheiros na carroceria de uma caminhonete carregada de móveis, com dois quilos de cocaína escondidos num armário, e encontraram uma barreira policial. No tiroteio, perdeu a vida um dos companheiros da carroceria. Miguel foi dar pessoalmente a notícia à viúva.

A moça ouviu pálida, em silêncio. Depois chorou comovida. Miguel disse que também estava triste. Entregou-lhe a parte do marido no trabalho e, qualquer coisa, Antônio Carlos e ele estariam à disposição.

Foi embora encantado com a beleza da morena. Nem na TV tinha visto pernas tão bonitas, sonhava com elas à noite. Por causa dessa moça, Miguel largou da família e viveu um grande amor pela primeira vez, ele aos 38 anos, ela, com 22.

Uma tarde, quando a união ia para o segundo ano, Antônio Carlos, que morava na quadra de baixo, apareceu na casa de Miguel. A morena tinha ido visitar a mãe. A conversa foi truncada, esquisita, até Miguel interromper:

— Qual é, Antônio Carlos? Vamos entrar no assunto que te trouxe.

— Tua mulher te passa pra trás com um polícia.

— Quem falou?

Antônio Carlos deu o nome do motel onde eles se encontravam e disse que tinha visto os dois, pessoalmente, namorando na viatura da delegacia, numa travessa do largo do Taboão.

O coração de Miguel acusou a punhalada. Matar o investigador passou por sua cabeça, mas abandonou a ideia; teria que fugir da cidade. Dar fim à vida dela? Como? Não é fácil matar a mulher amada, constatou.

Com um nó apertado no peito, Miguel dobrou as roupas dela, pôs a mala do lado de fora e passou o trinco na porta. Quando a morena chegou, bateu forte:

— Que é isso, Miguel, ficou maluco?

No início, ele nem respondeu, mas ela insistiu, disse que tinha direito de saber o que aquilo representava. Se ele estava apaixonado por outra, ela iria embora mesmo, que ela não era de dividir homem com vagabunda nenhuma. Depois, queixou-se de que os vizinhos ouviam tudo, e ele abriu a porta.

Na sala, ela se assustou com o estado trêmulo do marido. Tirou o copo de bebida da frente dele e despejou na pia. Em voz baixa, procurou acalmá-lo até conseguir que ele falasse:

— Você é puta, sem-vergonha. Larguei da mãe dos meus filhos, te dei conforto, carinho e amizade e você pagou com a moeda da traição. Estou sabendo do polícia que você encontra no motel atrás do posto de gasolina na Raposo Tavares, faz mais de um ano, enquanto o trouxa aqui arrisca a pele para rechear teu guarda-roupa.

A morena ouviu impassível. Depois, interrompeu o silêncio:

— Quem foi que te contou?

— Não interessa.

— É lógico que sim. Uma pessoa conta uma história que destrói o nosso lar e eu não tenho direito de saber quem é ela?

Ele disse que não, que ela não prestava, não valia um pãozinho da padaria, e que tinha sorte dele ser bom, caso contrário cometeria um desatino. Ela, de mãos frias, ignorava as ofensas. Apenas queria saber:

— Quem foi que te contou?

Com a persistência das mulheres, insistiu nesse ponto até Miguel confessar:

— Foi o Antônio Carlos. Por quê?

— Então, você vai fazer ele repetir na minha cara. Depois, pego minha mala e vou para a minha mãe.

Antônio Carlos repetiu a história inteira na frente dela e

do marido, referiu-se até a detalhes que havia poupado do amigo:

— Vi você morder a orelha dele, na viatura!

Ela escutou calada, no sofá, até terminar a narrativa. Caiu outro silêncio, novamente quebrado por ela:

— Você falou tudo, mas esqueceu a parte melhor.

— Como assim?

A morena, que tinha o olhar perdido nos bibelôs da cristaleira enquanto ouvia o relato, levantou do sofá, postou-se diante de Antônio Carlos e, direto nos olhos dele:

— Você não contou que me pediu para abandonar o Miguel e fugir com você. E que eu não aceitei porque amo meu marido, e sou amiga da tua mulher.

Antônio Carlos chamou-a de mentirosa, disse que não fosse o respeito pelo amigo arrebentava a cara dela. Xingou-a de mente diabólica. Ela não respondeu. Como estátua, pegou a mala e foi embora.

Antônio Carlos virou-se para o amigo:

— Miguel, você não acreditou nessa pilantra, acreditou? A gente tem quatro anos de parceria e nunca partiu de mim qualquer crocodilagem.

— Deixa quieto, Antônio Carlos.

Antônio Carlos notou uma ponta de hesitação no tom do parceiro.

Enquanto acontecia essa conversa, a morena tocava a campainha na casa do difamador. Uma loira oxigenada apareceu na janela. Era Dina, mulher dele.

Conversaram em pé, na sala:

— Dina, o Antônio Carlos é veado?

— Que pergunta, Marli!

— Desculpa, mas ele veio para o Miguel com uma história que eu saio com um polícia, que nunca existiu. Veio com tudo, para destruir meu casamento. Então eu pensei: ou ele quer que eu vá embora para ficar com o Miguel ou quer que ele vá para ficar comigo.

— Que é isso? O Antônio Carlos tem nojo de bicha.

— Então, minha filha, é de eu que ele está a fim.

Pegou o ônibus e foi para a casa da mãe.

Antônio Carlos era mulherengo, e Dina, um poço de ciúmes. Uma vez engalfinhou-se com uma prostituta das relações dele, e foram necessários dois homens e uma senhora para separar. Quando Antônio Carlos entrou em casa, Dina cravou-lhe as unhas no rosto:

— Ordinário, sem-vergonha, sempre falei que você tinha um quê por ela. Mas você dizia que eu era louca. Nem mulher de amigo você respeita mais, cachorro?

Na manhã seguinte, Antônio Carlos bateu na porta de Miguel:

— Dormiu com gato?

— Você não acredita. Tua mulher saiu daqui, foi para minha casa e pôs na cabeça da Dina que eu estou a fim dela. Quando cheguei a Dina voou com as unhas na minha cara.

Miguel inspecionou os ferimentos no rosto do parceiro e disse:

— Antônio Carlos, o corvo da desconfiança pousou na nossa amizade. Daqui por diante, cada um segue seu destino.

O amigo tentou argumentar, explicar que a sociedade era vantajosa para ambos, mas foi inútil. No dia seguinte, Miguel foi buscar Marli na casa da mãe. Ela aceitou voltar com a condição de que passassem uma borracha no acontecido e voltassem à harmonia de antes. Ele prometeu e cumpriu, parcialmente. Passou a segui-la, inventava viagens e aparecia em casa no meio da noite; até pôs um capanga na esperança de surpreendê-la. Nada: o comportamento dela era exemplar.

Um ano depois, bem estabelecido nos negócios, mudaram para uma casa maior, passada no nome de Marli, porque ele não podia ter nada em seu nome. A fase de suspeição havia chegado ao final. Quanto ao parceiro, não se encontraram mais. Antônio Carlos tinha sido preso e condenado a cumprir pena na Casa de Detenção.

Nessa ocasião, Miguel levantou 40 mil dólares num sequestro e resolveu triplicar o dinheiro. Disse para a mulher que comprariam um sítio depois do golpe.

Chegou de ônibus em Santa Cruz de la Sierra. De lá, pegou uma jardineira dessas em que as pessoas entram com engradado de galinha e desceu na praça principal do povoado, em frente ao hotel da mãe do vendedor de cocaína.

Miguel pagou 50% do valor da encomenda e o boliviano mandou refinar a cocaína. Levou dois dias, mas ele não se aborreceu. Aproveitou para uma pescaria no barco do irmão do fabricante, um sujeito contador de casos engraçados. A droga foi entregue do lado brasileiro. Para fugir da rota mais vigiada, Miguel pegou ônibus para Brasília, depois Belo Horizonte, São Paulo e Santos, onde vendeu a cocaína. Vestia terno azul-marinho e camisa abotoada, na mão uma Bíblia, que leu durante todo o percurso:

— Só para desbaratinar.

Chegou em casa com quase 100 mil dólares. Abriu o portão e atravessou o corredor escuro. O cachorro latiu e veio fazer festa. Bebeu água no filtro e foi para o quarto. A morena dormia de calcinha e camiseta regata. Deitou-se ao lado daquele corpo quente e mordeu-lhe com delicadeza o pescoço. Miguel estava feliz, outra vez.

Na manhã seguinte, ela acordou cedo e foi comprar pão. Ligou do orelhão da padaria:

— O passarinho voltou para a gaiola. Trouxe um saco de alpiste.

A polícia surpreendeu Miguel no vaso sanitário. O amante de Marli chefiou a operação. Depois, viajou com ela para o Nordeste.

Miguel chegou na Detenção e chafurdou no crack. Pegou tuberculose, não tratou direito e morreu magrinho, na enfermaria. De tristeza, disse o Antônio Carlos, que cuidou do amigo até o último dia de vida.

UM ABRAÇO

Claudiomiro diz que só foi preso porque tinha mulher e filho. O delegado investigou os postos de saúde e encontrou a ficha de vacinação do menino, com o endereço da mãe. Achou a moça bonita e mandou segui-la. Uma noite, ela tomou o ônibus para Leme com o menino e hospedou-se na casa da tia. Na vizinhança, a polícia montou um posto de observação. Uma campana móvel, como dizem. Três dias depois ele apareceu, morto de saudade.

Conheci Claudiomiro por uma exigência da Detenção: todo preso convocado para depor nas delegacias, antes de sair precisava de um atestado de integridade física. Mandei-o tirar a roupa. O corpo era forte, tinha três cicatrizes antigas e nenhum sinal de violência recente. Perguntei se havia apanhado:

— Aqui, não. Vamos ver agora no DEPATRI.

— Muita coisa lá?

— Querem me atribuir dezessete assaltos a banco e oito de carro-forte.

— Vai assinar quantos?

— Nenhum, doutor. Nem posso, já tenho mais de quinze anos para tirar.

Dois dias mais tarde, vi na televisão uma tentativa de fuga coletiva no DEPATRI (Departamento de Proteção ao Patrimônio). Claudiomiro foi um dos líderes e voltou na mesma noite para a Detenção. Encontrei-o na Radial:

— E aí, quantos você assinou no DEPATRI?

— Não chegaram a me interrogar.

— Ganha dinheiro nesse negócio de banco e carro-forte?

— Ganha, mas o dinheiro só vale a metade, às vezes até menos.

A essa frase enigmática seguiu-se uma conversa sobre a profissão dele:

— Precisa muita disciplina, doutor. Deu oito da noite, eu me recolho. Não fico em bar, boate, porque a polícia pode me pegar de bobeira numa batida qualquer. Durmo cedo e, em casa, quem acorda o galo sou eu.

Claudiomiro auxiliava a mulher nos trabalhos domésticos, fazia feira, trocava fralda e contava história para o menino na cama. Quando se escondia, nem a esposa sabia seu paradeiro. Mas não abusava da confiança:

— Para ladrão de banco não falta mulher. Só que muitos acabam na cadeia ou na armadilha de outro bandido, porque mulher com o amor-próprio ferido é capaz de muita vileza.

Claudiomiro diz que a informação precisa é fundamental: a que horas passa o carro-forte, quantos mil no cofre do banco, o número de guardas, todos os detalhes. Para isso, valia-se dos próprios vigilantes das empresas de segurança, com cautela:

— Não pode ser intempestivo: ô meu, me dá a lança aí. Tem que se achegar através de um amigo, uma pessoa da família, num bar, uma cervejinha.

Chegou a passar seis meses atrás da informação desejada:

— Fiquei amigo do rapaz, emprestei dinheiro, até no batizado do filhinho eu fui. Tem que ganhar a confiança primeiro, para conscientizar depois. Explicar que ele arrisca a vida para defender dinheiro dos outros e ganhar uma mixaria, que essas firmas exploram o cara pra caramba, que se ele morrer no trabalho, a mulher e os filhos vão passar necessidade.

É uma catequese:

— Até a pessoa dar a fita.

Depois, semanas ou meses para planejar a ação. Se é um banco, é preciso desenhar um croqui com a posição dos caixas, do cofre, das câmeras de circuito interno e dos seguranças. Quando é carro-forte, cronometrar o trajeto por dias consecutivos, preparar o mapa das ruas próximas e definir a hora exata da abordagem. Tarefa demorada e solitária:

— É eu e Deus. Saio de terno, gravata e pasta de couro, e conforme o caso, abro uma conta na agência com documento falso, para justificar a ida diária.

Com o plano organizado, Claudiomiro sai para contratar o pessoal. A pior parte, segundo ele:

— Precisa saber lidar com ladrão.

Um assalto desses pode exigir até uma dúzia de homens e Claudiomiro não tinha quadrilha fixa, por motivo de segurança. Achava mais prudente terceirizar certas tarefas, com exceção daquelas executadas por dois companheiros havia muitos anos com ele. Mesmo assim:

— Eles não sabem onde eu moro, nem com quem eu vivo. Quando tenho uma lança, eu que vou atrás deles. Reunimos cedinho, dois dias antes do assalto eu conto o plano, mas não digo aonde é, nem eles perguntam. Só no dia, meia hora antes de sair é que todos ficam sabendo.

Os três analisam o croqui e calculam quantos e a que preço os homens serão contratados. Alguns ganham fixo, outros por percentagem. O cálculo deve ser benfeito:

— Senão vira repartição pública e ninguém vê a cor do dinheiro.

Depois da reunião, Claudiomiro volta para casa e os outros saem para montar a equipe e roubar os veículos de fuga, ou cavalos de pinote, como preferem, que mais tarde serão abandonados nas cercanias do assalto, porque os ocupantes passarão para outro automóvel, às vezes até com pessoas comuns em seu interior, para disfarçar:

— Tem gente que põe uma senhora gorda para dirigir e até criança no banco de trás. Eu não exponho inocente; a polícia, quando chega, não quer conversa.

No dia combinado, Claudiomiro sai às quatro e meia da manhã para buscar o armamento: fuzis de repetição, metralhadoras e revólveres importados. Só ele sabe o esconderijo: no mundo do crime, arma é poder:

— Geralmente deixo na casa de gente que não passa sobre ela qualquer suspeita, uma pessoa de fé ou uma viúva que frequenta igreja.

A pessoa presta o serviço pelo aluguel da casa, cesta básica ou auxílio num momento de necessidade. A cumplicidade cria laços afetivos:

— Cinco da manhã, quando apareço para buscar as ferramentas, tem uma senhora que me serve café com mandioca cozida e bolo de milho. O pitoresco é que eu chego sem avisar nem nada, e está a mesa posta, toalha limpinha, bolo e o leite no fogo. Na saída ela me deseja: Deus te proteja meu filho! Naquele momento, é um conforto ouvir essas palavras de uma senhora de idade.

No horário das cinco às dez da manhã, com as armas no carro, começa o perigo. Os policiais da Delegacia de Assalto a Banco conhecem os modelos de automóveis preferidos pelos ladrões e sabem que é o momento de pegá-los:

— Depois do assalto, com o dinheiro na mão, um abraço.

O trabalho exige sangue-frio. Nem quando tudo dá certo a tensão afrouxa. O assalto põe a polícia na rua e assanha os marginais:

— Eu, quando pego uma bolada, evaporo. Mudo de casa, troco o carro, não recebo visita para ver minha TV, geladeira nova, o conforto da minha família. Prefiro assim do que ter que contratar segurança, como muitos fazem, e perder a privacidade da família.

A notícia chega até na cadeia:

— Pô, fulano está com carro zero bala. Está dando dinheiro. É o Sílvio Santos. Deu sorte mas é trouxa, a corridinha dele é curta. O quê? Um pé de china com essa pacoteira? Eu mando enquadrar e um abraço.

Certa vez, Claudiomiro foi abordado por dois homens armados que o revistaram e pediram 30 mil dólares. Era ordem do chefe deles, para deixá-lo em paz. Claudiomiro disse que o dinheiro estava no cofre do banco. Foram até lá. Um dos chantagistas ficou do lado de fora com os revólveres e o outro aguardou no saguão da agência. Claudiomiro foi até o cofre e voltou com um pacote na mão. Deu três tiros num deles e mais dois no outro, sem abrir o pacote. Os mortos não imaginaram que poderia haver um revólver no cofre.

Claudiomiro não se vangloria da esperteza; agiu a contragosto:

— Era mais vantagem ter pagado os 30, que eu tinha levantado 74 no assalto, do que matar os dois no meio de todo mundo, arriscando levar tiro dos seguranças ou da polícia que chegou em seguida. Só que não posso passar como vacilão, porque, aí, é um bote atrás do outro, e eu tenho mulher e filho para adiantar.

Claudiomiro sempre dispunha de 50 mil dólares para o caso de ser preso. Se a polícia chegava, a primeira pergunta que ele fazia era se havia possibilidade de acerto:

— Se eu percebo que o cidadão vacila, eu conscientizo ele: olha, você ganha 700, 800 reais por mês, paga aluguel, não dá para comprar um brinquedo para o filho, sustenta a mãe ou a sogra, vai ganhar o quê, me levando preso? Para mim, sai mais barato acertar com você do que entregar na mão do advogado, que vai me soltar em outras instâncias.

Por isso, dizia que seu dinheiro valia metade.

Outra vez conseguiu boa soma numa agência Bradesco. Alugou um apartamento de três quartos na Manoel Dutra, no Bixiga, e mobiliou no gosto da esposa, com todos os eletrodomésticos:

— Não usufruí vinte dias no conforto.

Uma tarde, foi fazer compras no supermercado da praça 14 Bis. Quando saiu, notou a presença de um homem de boné na banca de jornal, ao lado. Em vez de atravessar a rua, Claudiomiro virou à direita, na direção da Barata Ribeiro. No farol, antes de cruzar, olhou para os lados: o homem de boné havia virado em sua direção. Claudiomiro não teve dúvida:

— Polícia. Farejo de longe.

Foi para casa distraído, vestiu a bermuda, calçou um chinelo, pegou a mulher, o nenê, o carrinho, a sacola com as mamadeiras em cima do dinheiro, e desceram. O homem de boné estava no posto de gasolina, em frente. Deve ter pensado que os pais levavam a criança para passear e esperou que voltassem, em vão:

— Dobramos a Treze de Maio, parei um táxi e um abraço.

Largaram tudo para trás:

— Televisão, câmera de vídeo, dormitório de casal e tudo o mais. Até o meu Verona novo, com os documentos certinhos na garagem. Minha senhora não disse um ai. Não era a primeira vez que abandonava tudo, nem seria a última, mas aquele dia me cortou o coração ver as lágrimas no rosto dela.

Meses mais tarde, Claudiomiro foi transferido e fugiu da cadeia. Continuou sua caminhada até cair sob o impacto das balas de uma viatura da PM que, por acaso, passava pela porta do banco no momento do assalto. Tinha 35 anos, deixou a mulher grávida e o menino pequeno.

DEUSDETE E MANÉ

Quando cheguei no pavilhão Quatro, o sol batia forte na gaiola do térreo. O Pequeno conversava com um funcionário na beira da escada. Perguntei se o elevador estava funcionando. Respondeu com o erre arrastado na língua presa:

— Para variar, não. Doutor, o senhor já viu os corpos?

Num banheiro do térreo improvisado como necrotério, jaziam os corpos de dois rapazes. Um deles, de bermuda, estava horrivelmente queimado. As bolhas ocupavam o corpo todo, principalmente o rosto e o tórax; algumas haviam rompido expondo a derma profunda, escura e úmida. O outro, de camiseta do Baú da Felicidade, estava todo esfaqueado.

Os corpos eram de Deusdete e Mané de Baixo, criados na mesma vizinhança, amigos inseparáveis até os catorze anos, quando Mané de Baixo arranjou emprego num ferro-velho e saiu da escola. Na mesma época, o pai de Deusdete perdeu a vida num trem de subúrbio. Órfão, Deusdete foi trabalhar de dia e estudar à noite. Mané de Baixo envolveu-se com o crime e desinteressou-se pela vida esforçada do amigo.

Uma noite, Francineide, irmã do meio de Deusdete, na volta da padaria, foi molestada por dois marginais da vila. Um disse que queria chupar o sexo dela; ofendida, ela o mandou chupar a mãe, vagabundo. Apanhou, chegou em casa com o vestido rasgado e a boca inchada.

Ao ver a irmã naquele estado, Deusdete correu para a Delegacia. Esperou mais de duas horas para ouvir o escrivão dizer que ficaria louco se registrasse todas as queixas de agressão da vila.

Uma semana após o incidente, no ônibus, um vizinho o avisou de que os agressores souberam da ida dele à delegacia e queriam pegá-lo. Deusdete pediu adiantamento na firma e saiu pela vila atrás de um revólver. Não demorou para encontrar.

Apesar da arma, mudou de itinerário. Não adiantou, eles o acharam na volta da escola, sozinho, por uma rua escura.

— Aonde pensa que vai o estudante dedo-duro?
— Não quero briga. Deixa eu ir para casa.
— Você vai para a casa da mamãe, veado, só que antes a gente vai te fazer uns carinhos, que nem nós fez para a tua irmãzinha.

O primeiro que se aproximou tinha uma barra de ferro na mão. Abusado, não percebeu que Deusdete havia sacado o revólver. Tomou dois tiros e caiu morto. O companheiro saiu correndo com a faca. Deusdete atirou, errou e seguiu no encalço. Três, quatro esquinas depois o fugitivo entrou num bar. Deusdete esperou agachado atrás do muro de uma casa em frente, até que o inimigo saiu, olhou ao redor desconfiado e cruzou a rua bem na direção em que ele se encontrava. Levou as três últimas balas do tambor, para espanto do gordo de bermuda e do barbudo que jogavam sinuca no alpendre do botequim e mais tarde testemunharam contra ele, no julgamento.

Quando Deusdete chegou na Detenção foi acolhido por Mané de Baixo, proprietário de um xadrez no pavilhão Cinco, cumprindo oito anos e seis meses por roubo de carga e formação de quadrilha. Com a ajuda do amigo, Deusdete, condenado a nove anos por homicídio duplo, fez ambiente com a malandragem. Dava aula na escolinha do pavilhão, escrevia cartas para os menos letrados e batia petições para anexar aos processos dos companheiros.

A harmonia, entretanto, foi abalada quando Mané de Baixo conheceu o crack. De nada adiantaram os conselhos do amigo, tudo o que Mané conseguia evaporava na fumaça das pedras.

Na noite da tragédia, apareceu o Fuinha no guichê da cela:

— Mané, trouxe umas pedras da melhor para nós fumar.

Deusdete perdeu a paciência:

— Chega! Você não vai fumar comigo aqui dentro. Quer se matar, foda-se, mas fuma amanhã, depois que eu sair!

Fuinha preferiu se retirar:

— Deixa quieto, Mané, amanhã nós fala.

Mané de Baixo, diminuído na presença de Fuinha, não disse uma palavra. De madrugada, enquanto o companheiro de infância dormia, encheu um tacho com cinco litros de água, uma lata de óleo, um quilo de sal e acendeu o fogareiro. Quando a mistura levantou fervura, despejou-a em cima do outro.

Deusdete morreu na enfermaria do Pavilhão Quatro nas primeiras horas da manhã. Ao meio-dia, os companheiros revoltados reuniram-se com a Faxina do Cinco, num "debate", como eles dizem, que envolveu mais de quarenta pessoas. Resolveram que um grupo aguardaria nas imediações da entrada do pavilhão e outro bloquearia a escada no primeiro andar. Quando Mané entrou, o grupo de baixo subiu atrás.

Seu corpo foi levado para o Quatro num carrinho de transportar comida. Lá, um detento o agarrou pelos braços, outro pelas pernas e o depositaram deitado de lado, no espaço do corredorzinho que sobrou entre Deusdete e a parede. O braço inerte de Mané caiu sobre a cintura do amigo.

AMOR DE MÃE

— Cadeia é lugar onde o filho sofre e a mãe não vê.

A noite havia caído. Na sala de consulta, eu louco para ir embora, entrou um altão, forte, devagarinho, as pernas abertas e as mãos amparando os testículos. Precisou de dois enfermeiros para subir na maca.

O rapaz tinha fama de assaltante destemido, ligação com bicheiros, cicatriz no supercílio direito e era subencarregado da Faxina do pavilhão Oito, o dos reincidentes. Apresentava um abscesso na bolsa escrotal do tamanho de um pêssego graúdo. A lesão, vermelha como fogo, tinha conteúdo líquido, flutuante; na parte central, a pele estava tão tensa que chegava a brilhar.

— Olha, precisa lancetar para tirar o pus. Vou te encaminhar para o Hospital do Mandaqui.

— Doutor, faz oito dias que eu estou sofrendo. Já me encaminharam para o Mandaqui três vezes, mas faltou viatura. Ontem, depois de eu implorar, no desespero, acabaram me levando, mas nem desci do camburão porque os PMs falaram que ia demorar e eles não eram ama-seca de vagabundo. Não tem condições do senhor lancetar aqui mesmo?

— O material daqui é precário. Além disso, você não tem noção da dor que dá. É duro de aguentar sem anestesia.

Ele esboçou um sorriso:

— Que é isso, doutor, o senhor está falando com um homem que tem quatro balas no corpo. Só no antigo DEIC me penduraram mais de vinte vezes. Já apanhei de cano de ferro duas horas e não entreguei o que os homens queriam. Se é pela dor, já era: é comigo mesmo!

Sofrimento por sofrimento, pensei, talvez ele tivesse razão. Esses encaminhamentos para hospitais externos eram complicados, pois o regulamento exigia escolta da Polícia Militar, em viaturas nem sempre disponíveis, para evitar fuga ou ataque de quadrilha para resgatar o prisioneiro. Nas filas dos hospitais públicos, a demora acabava de azedar o relacionamento com a PM. Assisti a diversas mortes na enfermaria enquanto os doentes aguardavam transferência.

Do nosso lado, o médico podia enfrentar problemas legais quando um falso doente, encaminhado por ele para atendimento externo, fugia. Comigo aconteceu duas vezes. Numa delas, um ex-mecânico com caquexia associada à AIDS conseguiu tirar a mão esquálida da algema presa ao leito e sumiu. Na outra, Romário, um craqueiro com tuberculose avançada, pulou o alambrado do Hospital Central, situado atrás da Detenção, enquanto os guardas assistiam Brasil versus Alemanha na TV, passou quinze dias na rua fumando crack e voltou preso, para morrer dois meses depois na enfermaria.

Se o doente estava disposto, tudo bem. Na falta de médico-cirurgião, mandei chamar o Lula, responsável pelas pequenas operações da enfermaria, assaltante de banco, operador prático e personagem de outra história.

Quando Lula chegou com o material, distribuí quatro detentos-enfermeiros em volta da maca, nos braços e pernas do faxina. Com cuidado, levantei o testículo doente e coloquei um chumaço de algodão por baixo. A menor mobilização da região inflamada provocava dor intensa. Chegava a escorrer suor na fronte do faxina. Tudo pronto, indiquei o local da incisão.

De luvas, Lula, canhoto, com uma lâmina de bisturi entre o indicador e o dedo médio, cortou fundo a pele infiltrada e no mesmo movimento jogou a lâmina na bandeja e espremeu forte, da periferia para o centro da região abscedada. Apertou firme, sem trégua. O pus jorrou amarelo, grosso.

A incisão pareceu indolor. A compressão, no entanto, provocou um urro oriundo das entranhas do faxina. Seu corpo retesou-se como um arco apoiado na cabeça e nos calcanhares. Não fosse a contenção obstinada dos quatro enfermeiros, a maca teria virado. Lula, impassível, no aperto.

O espasmo gutural só terminou quando faltou ar nos pulmões do faxina:

— Ai, pelo amor de Deus, larga... Ai, mamãezinha... Vela eu, mãezinha querida.

Lula, sem dó, permanente, até a secreção amarela rarear e o sangue tingir o algodão de bordô. Então, soltou e espremeu mais três vezes, bem apertado, para ter certeza do serviço benfeito. Quando, afinal, largou, o queixo do ladrão tremia feito vara verde. Pálido, lavado de suor, ele continuava obcecado pelo amor filial:

— Ai, mãezinha querida... Ai, minha Nossa Senhora, me ajuda... Vela o teu filho, mãezinha.

Minutos depois, aliviado, o faxina agradeceu, humilde:

— Graças a Deus, melhorou. Deus abençoe vocês. Deus abençoe o senhor, doutor. Deus te proteja, Lula.

Profissional, recolhendo os instrumentos com cara de poucos amigos, Lula interrompeu:

— Chega, deixa Ele em paz agora. Muito Deus na boca de ladrão, não presta!

Em câmera lenta, o doente desceu da maca e saiu de pernas abertas, capenga pela galeria. Quando a porta fechou, Pedrinho, passando um pano ensaboado na maca, comentou em voz baixa:

— Pô, um bandidaço assim, assaltante de carro-forte, subencarregado de Faxina, implorar pela mamãezinha desse jeito!

EDELSO

De todos os presos que passaram pela enfermaria, Edelso era o que tinha mais jeito para medicina. Era o preferido da malandragem para aplicar injeções, fazer curativos e, nas madrugadas sofridas, receitar o melhor tratamento sintomático. Com a experiência, aprendeu a diagnosticar tuberculose melhor do que muito médico. Trazia o doente já com a conduta:

— Doutor, esse aqui tem febre, dor no peito e sudorese noturna. Foi receitado soro com vitamina e ampicilina, mas eu já comecei o esquema tríplice.

Agradável no trato, dentes preservados, roupa cuidada, destoava naquele ambiente de homens pobres e corpos marcados pela violência.

Edelso tinha várias passagens por roubo de automóveis. Veio para a Detenção condenado a oito anos e sete meses, enquadrado em vários artigos do Código Penal: receptação, formação de quadrilha e falsidade ideológica. Foi preso porque assumiu a identidade de um médico recém-falecido em Mogi das Cruzes. Com documentos falsos, alugou um sobradinho numa cidade vizinha e montou consultório, com placa na porta, receituário e número de CRM.

— Eu comprava carro roubado num desmanche de São Paulo e vendia na fronteira com o Paraguai.

Para disfarçar, o papel de médico caía como uma luva para ele, ex-aluno de um curso de auxiliar de enfermagem:

— Médico toda hora com carro novo, é normal.

Fez a mudança para a residência-consultório à noite. O vizinho até ajudou a carregar os móveis. Na manhã seguinte, acordou com a campainha. Olhou pela janela do banheiro e viu dois soldados da PM, um alto de bigode ruço e o outro suado, enxugando a testa com um lenço. O ladrão lamentou a sorte:

— Nem bem cheguei e a casa caiu!

Pensou em fugir pelos fundos a pé. Não seria a primeira vez a deixar os pertences para trás. Hesitou, enquanto a campainha insistia. Por fim, resolveu bancar o desentendido e desceu com calma, o revólver enfiado no cinto. Pela janelinha da porta, perguntou o que os policiais desejavam:

— Doutor, tem uma criança passando mal no posto de saúde e o médico não chega. Dá pra quebrar o galho da gente?

Quando Edelso chegou no posto, havia várias pessoas em volta de uma menina de sete anos que ardia em febre e dor de garganta, na maca. Gente humilde. Uma senhora de preto que parecia ser a avó explicou que a criança vinha com dor forte de cabeça. Edelso estranhou:

— Criança pequena com cefaleia?

Passou a mão por trás do pescoço da menina e tentou dobrar-lhe a cabeça para encostar o queixo no peito. A criança gritou de dor:

— Rigidez de nuca!

O sinal neurológico foi suficiente para o falso médico fazer o diagnóstico:

— Meningite! Precisa levar a menina para o Emílio Ribas. Aqui não tem condições.

Neste momento, enquanto Edelso orientava o caso, chegou o médico de verdade, assim descrito pelo falsário:

— Um tipo esquisito, de peito peludo e chiclete na boca. Entrou de branco, não falou com ninguém, só olhou a garganta da pacientinha, receitou Keflex de seis em seis horas e virou as costas.

Edelso ficou calado, procurando uma desculpa para escapar dali. O negócio dele era outro e não podia correr perigo. Quando saiu, o pai da menina veio atrás:

— Doutor, o senhor acha que é meningite, o outro médico disse que é só amigdalite, mas nem examinou a menina. O que eu faço?

— Se a filha fosse minha, eu levava para o Emílio Ribas.

Prevaleceu o bom-senso paterno. No hospital confirmaram o diagnóstico de meningite bacteriana, internaram e curaram a criança.

A fama de Edelso correu e a clínica prosperou. Cobrava baratinho ou atendia de graça, conforme as posses do cliente. Não dependia da medicina para sobreviver, ganhava de 2 a 3 mil dólares em cada carro que levava para o Paraguai:

— São duras essas viagens, doutor. Tem que rodar tudo de noite para evitar a fiscalização, sozinho, que não pode envolver um amigo ou uma mulher inocente, numa treta dessas. E se a polícia parar? Furar o cerco, parar e ir preso, ou entregar tudo na mão deles?

Um dia a casa caiu, de fato. Um clínico-geral de Mogi das Cruzes atendeu uma cliente com prescrição dada por Edelso em nome do médico falecido e deu parte na delegacia.

A carreira de Edelso na enfermaria terminou num final de semana. A chefia do pavilhão Dois transferiu-o para o pavilhão

Sete, porque numa batida no xadrez de um traficante, segundo disseram, seu nome constava na lista de devedores, com 10 reais de débito.

Meses mais tarde, cruzei com ele na Radial. Estava bem de aparência, descansado do trabalho com os doentes. Fazia até planos para quando cantasse a liberdade:

— Vou parar com esse negócio de carro, desmanche, Paraguai, que é sem futuro. Com a medicina que aprendi com o senhor, não vejo a hora de montar consultório num lugarzinho simples e viver tranquilo cuidando dos meus pacientes.

LULA

Fui apresentado ao Lula no ambulatório por causa de um alemãozinho sardento com uma facada na região glútea. O rapaz, pálido, com uma águia de asas abertas tatuada nas costas, vinha deitado de bruços na maca, com as calças abaixadas e a cueca rasgada pela lâmina. O golpe tinha atingido a musculatura profunda mas poupado os nervos e vasos sanguíneos mais importantes; bastava lavar e suturar.

Com uma fila de doentes por atender, achei que devia encaminhar o doente para um pronto-socorro, pretensão imediatamente contraindicada pelo Edelso:

— A essa hora, já era, doutor. Vai ficar para amanhã. Por que o senhor não autoriza o Lula?

Lula era ladrão de longa carreira. Chegou na cadeia com foto escrachada no *Fantástico*, depois de cair baleado no saguão da agência Itaú de Santa Cecília, num assalto em que morreram dois ladrões. Baleados, ele e o chefe da quadrilha, um rapaz miúdo chamado Ferrinho, chegaram no Carandiru cercados de respeito.

Bandeco, figura popular do Cinco, que fala feito metralhadora, diz que nada é tão gratificante:

— Chegar numa cadeia e os companheiros te tratarem com todo o respeito é a coisa mais bonita na vida de um ladrão.

Menos de um mês depois, Ferrinho, torturado pela depressão, enforcou-se com um lençol na janela do xadrez. No bolso da calça, tinha o retrato de um menino pequeno e de uma loira de boca pintada.

Mal Edelso saiu, Lula entrou, sapato branco, correntinha de prata com crucifixo no peito desabotoado, e tinha pressa. Sem me dar muita atenção, observou o ferimento e aproximou várias vezes os bordos do corte.

— Dá para fazer, doutor, não ofendeu nenhum nervo. Facada na bunda é só para esculachar a vítima.

Foi nosso primeiro contato. Insisti que o segredo era anestesiar o ferimento e lavá-lo demoradamente com água e sabão. Quando terminou, veio me chamar para dar alta ao ferido. A sutura estava ótima, as distâncias entre os pontos perfeitas, o sangue escorrido cuidadosamente retirado.

Não sei quem o treinou — a verdade é que era operador talentoso. Com instrumentos precários e fio grosso de algodão, fazia delicadas suturas de cicatrizes imperceptíveis, drenava abscessos, extraía projéteis do corpo e, habilidosamente, retirava ciscos dos olhos com a ponta de uma agulha de injeção.

Uma vez, trouxe-me um paciente com um lipoma gigante nas costas. Era uma tumoração mole, gordurosa, de quinze centímetros de diâmetro. Queria que eu autorizasse a exerese. Achei difícil uma cirurgia daquelas sem anestesia geral. Disse-lhe que eram loucos, ele e o outro. Respondeu-me que já havia feito operações maiores, em locais menos acessíveis.

Meses depois, encontrei o rapaz do lipoma no pátio do Sete e ele, sorridente, levantou a camisa para me mostrar a cicatriz do tumor operado. Estava perfeita, em forma de Z para aliviar a tensão da pele repuxada sobre o corte. Perguntei-lhe quem o havia operado:

— Foi o Lula. Não ficou bom?
— Como, se eu não autorizei?
— Ele pediu para outro médico.

Trabalhamos muitos meses em contato. Ensinei-lhe princípios de assepsia, noções sobre as linhas de força da pele para orientá-lo nas incisões e emprestei-lhe um atlas de anatomia, que ele folheou com os olhos brilhando de curiosidade e nunca mais devolveu. Aprendi a admirar-lhe a habilidade cirúrgica e o prazer que tinha no aprendizado. Com o tempo, ficamos amigos.

Num final de ano, notei que seu comportamento se alterou. O riso espontâneo desapareceu; andava agitado e tenso. Na galeria, olhava desconfiado para trás e para os lados. No horário de trabalho, às vezes desaparecia. Ficou magro e com o rosto marcado.

Uma manhã, cruzei com ele no corredor:

— Lula, quero falar com você, em particular.

Entramos na sala do centro cirúrgico. Ele trancou a porta e guardou a chave no bolso.

— Você está fumando crack.

— Que é isso, doutor? Nem posso, ainda mais operando o pessoal aí.

— Lula, você entendeu mal, não é pergunta: estou afirmando que você fuma crack, todo dia, e muito.

Negou de novo, mas eu insisti que não ficava bem para nós, homens barbados, pais de família, brincarmos de enganar um ao outro.

— É, doutor, comecei fazem seis meses. No começo era de vez em quando; passava uma semana sem fumar. De uns tempos para cá, é todo dia.

— Toda hora.

— A bem dizer verdade, é toda hora. Acordo já na fissura de ir para o fundão, no Oito, atrás de pedra. Tem vez que eu falo, está me prejudicando, vou dar um tempo. Que nada, passa um dia ou dois, estou indo para o fundo na maior neurose. Gasto uma média de 20, 30 contos por dia nessa desgraça.

— E o dinheiro?

— Vem da cirurgia. Aqui nada é de graça, doutor.

— Mas você opera as pessoas e depois fuma essa praga: vai perder a habilidade manual.

— Desculpa, aí o senhor se engana. Eu não fumo crack depois de operar, eu fumo antes.

— Você é louco, irresponsável. O crack tira o controle dos movimentos.

— Doutor, aí o senhor está novamente enganado. Às vezes eu tenho que fazer uma sutura grande, difícil. Desço para o barraco e cachimbo. Subo, injeto o anestésico e lavo a ferida com água e sabão, conforme o senhor ensinou. Lavo sem pressa, chego a passar quinze minutos embaixo da torneira escovando, espuma alta, não me importo com o sangue. Seco bem, tudo limpinho, e quando vou operar, ó, maior barato, vejo os vasos brilhando fluorescente. Amarro um por um, mão firme no porta-agulha, não deixo escapar nada. Só quando a ferida fica seca, sem escorrer uma gota, as bordas bem aproximadas pelos pontos do subcutâneo, é que eu suturo a pele. Se o senhor medir a distância entre o buraco da passada da minha agulha e a borda do corte, de um lado e do outro da cicatriz, vai ver que não tem diferença nem de um milímetro, tanto é a precisão.

O crack acabou com ele. Dias depois o diretor do pavilhão o demitiu da enfermaria e o transferiu para o Oito. A permanência foi curta; privado da clínica particular, não teve como manter o vício, contraiu dívidas e perdeu a moral entre os companheiros.

Um dia, foi encontrado sem vida no xadrez. Ao lado do corpo, uma seringa suja de sangue. Overdose, foi a notícia que correu na cadeia. Achei muito estranho; o pessoal da enfermaria, que tinha trabalhado anos com ele, nunca soube que o Lula injetasse na veia.

MARGÔ SUELY

Margô passou três meses no distrito, numa cela com 32 homens, e ninguém abusou dela. Apesar da sainha agarrada, do bustiê e do silicone nas coxas, o maior respeito. Quando veio transferida para o Carandiru, conheceu um ladrão e se apaixonou. Ele foi franco com ela:

— Se quiser ser minha, é o seguinte: só minha, entendeu? Te ponho num barraco, dou conforto, mas não vai tirar eu, não. Manter mulher de cadeia custa o olho da cara. Tirou eu, já era.

O xadrez da Margô tinha um beliche, cortina bege e um tapete de talagarça com dois cisnes e uma casinha, para não pisar na friagem. Entrando, dava-se de cara com o come-quieto, um lençol azul pendurado logo atrás da porta, para assegurar a privacidade. Na janela do fundo, uma cortininha xadrez. Recortes de artistas inundavam as paredes. Sob a janela, um armário tosco servia de mesa para o fogareiro. Sobre ele, o bule de café com o bico coberto por uma galinha de crochê. Ao lado, a TV com bombril na antena.

Cigarro, guloseimas, o baseado da tardinha, a pílula para os seios e o respeito da malandragem, por conta do ladrão. Da parte dela, apenas a fidelidade total. Sair no corredor, nem pensar, seu lugar era a cela, porta fechada, come-quieto cerrado e cortina xadrez puxada para evitar galinhagem e derramamento de sangue. De vez em quando, um solzinho podia, porém nunca desacompanhada; três seguranças do ladrão desciam com ela.

Na parte de cima do beliche morava a Zizi, travesti mais velha, de rosto assimétrico devido ao deslizamento do silicone injetado na região malar. Era a doméstica, cuidava da cozinha, limpeza, lavar e passar. Nas visitas do ladrão, discreta, recolhia-se.

Margô se apaixonou porque no começo ele foi bom para ela, protetor, exigente, não deixava faltar nada. Quanto a ela, passava os dias na TV, com as revistas femininas e o esmalte de unha. As outras morriam de inveja. Um domingo de visita (não para elas, havia muito distantes da família), com sangue nos olhos, o ladrão invadiu o barraco:

— Você vai aprender a calar essa filha da puta da tua boca!

E, antes que ela entendesse, acertou-lhe um murro no queixo com tamanha força que Margô, em pé ao lado do beliche, perdeu o equilíbrio, bateu a cabeça no armário e com o cotovelo derrubou o bule do chá de erva-doce para acalmar o nervoso da Zizi. Isso porque a mulher do ladrão, mãe dos três filhos dele, na visita, disse que já sabia de tudo e que só voltaria quando ele largasse daquele degenerado!

O incidente estremeceu o relacionamento de Margô com o ladrão. As coisas nunca mais foram como antes. A crise atingiu o auge quando ela teve uma ferida íntima, dolorosa e úmida. O ladrão não se conformou:

— Sem sexo, acabou o luxo, minha filha!

Dito isso, cortou batom, pílula, baseado, reforço na despensa e, o pior para ela e a Zizi, até o cigarro.

Quando a ferida arruinou, Margô Suely veio para a enfermaria. Passou um tempo com a gente. No primeiro dia, o ladrão apareceu e foi compreensivo; depois, nunca mais, apesar dos sucessivos recados que ela mandava.

No final de uma tarde de inverno, melhorzinha, Margô recebeu alta e voltou para o pavilhão Cinco. Chegou na hora da contagem. Enfraquecida, subiu a escada com dificuldade. Na galeria do quarto andar, numa fileira de oito lâmpadas apenas duas teimavam acesas. Margô, mal agasalhada, seguiu até o fundo, virou à direita e deu de cara com um funcionário:

— Aonde pensa que vai?

— Estou chegando da enfermaria. Já falei com o seu Valdir lá embaixo, ele disse que podia subir.

— Qual é o teu xadrez?

— 417-E.

— Vai indo, ainda não tranquei.

De fato, a porta estava encostada; havia luz, som de TV e cheiro de alho frito. De dentro vinha o quentinho do fogareiro, sobre o qual se debruçava a Zizi, entretida na fritura.

— Zizi, olha eu de volta!

A outra virou-se assustada, a colher borrifando óleo quente na parede, os olhos esbugalhados, desiguais.

Margô então percebeu que havia outra personagem na cena. Na cama, vestindo as meias de lã que eram suas, estava deitada Leidi Dai, aquela putinha polaca cinco anos mais nova, por quem a malandragem, idiota, suspirava.

Chocada com a ousadia da intrusa, Margô ordenou:

— Tira a minha meia já e sai da minha cama, sua vaca!

— Que é isso? Casei com o teu ex-marido. Estou naonde que me pertence, bofe velha.

Margô, humilhada, virou-se para Zizi ainda petrificada com a colher:

— Zizi, cadela traidora! Vou matar vocês duas!

Atirou-se nos cabelos de Leidi Dai e bateu-lhe a cabeça contra a parede; diversas vezes.

A gritaria foi infernal. Bisbilhoteiros enfiaram a cabeça através dos guichês de suas celas. Zizi aproveitou a bagunça e correu para o xadrez do ladrão, excitadíssima:

— Saí de lá, a Margô Suely estava dando com a cabeça da Leidi na parede, com toda a força. Que horror, precisa ver o sangue! Você tem que fazer alguma coisa!

— Eu, fazer? Fazer o quê? Me meter em briga de mulher?

SEU CHICO

Seu Chico matou o cunhado, tipo à toa; matou um outro, que ganhou consideração na quadrilha com o objetivo precípuo de alcaguetar todos; e um terceiro que ele nem conta:

— Não merecia viver, doutor.

As mortes não lhe trazem remorsos:

— Se valessem arrependimento, não tinham morrido.

Seu Chico é pai de duas mocinhas e um filho que deve estar grande. Foi abandonado pela mulher, ingrata, filha de família que não presta, responsável pela entrada dele no mundo do crime, segundo sua opinião. Cumpre quinze anos de uma pena de 44. Sofre saudades dos filhos mas se conforma, acha até bom não virem para não frequentar o ambiente da cadeia.

O corpo não aparenta cinquenta anos:

— O homem preso precisa fazer exercício, para não perder a dignidade.

Desde que o prenderam, a mulher interceptou-lhe a correspondência com as crianças, como vingança pela morte do irmão. Para os filhos, disse que o pai morreu na penitenciária.

Parado de braços cruzados, cabeça raspada, caveira tatuada no antebraço direito apoiada em dois punhais, o peso do corpo uniformemente distribuído sobre os pés paralelos, sua postura denuncia o passado na marinha mercante. Época de trabalho duro na casa das máquinas, portos distantes, brigas de faca e mulheres inesquecíveis.

Na coletividade das galerias, do empedernido piolho de cadeia ao mais reles ladrão, seu nome é pronunciado com entonação respeitosa:

— Foi seu Chico que falou... Se essa fita parar no conhecimento do seu Chico, vai ser problema.

Quando seu Chico é consultado, o ladrão chega e aguarda o convite para a aproximação enquanto ele termina o que está fazendo, seja o que for. Num dado instante, dirige o olhar ao recém-chegado: é a senha.

Quem fala, gesticula, é sempre o ladrão; ele se mantém calado, o olhar perdido num ponto distante ou entretido num pequeno afazer. Depois, volta-se para o interlocutor, diz algumas frases na baixa intensidade sonora das conversas sérias entre homens presos e perde o olhar na direção inicial. Está encerrado o papo.

COZINHA GERAL

Zelão, Flavinho e Capote comandavam a Cozinha Geral com mão de ferro. Eram três marginais de dar medo, não tanto pela enorme folha corrida, mas pelo ar de revolta que estampavam no rosto. Estavam presos havia pelo menos dez anos e condenados a mais de trinta cada um.

Entre eles, falavam apenas o essencial. As palavras eram inúteis, substituídas pela agilidade dos olhares que trocavam nos momentos de decisão. Compartilhavam o mesmo xadrez e confessavam-se dispostos a entregar a vida para defender a dos outros dois, caso as circunstâncias exigissem. Ninguém ousava desafiá-los no comando dos setenta e poucos cozinheiros.

Todo o material da Cozinha ficava sob a responsabilidade dos três. Um dia, antes do almoço, desapareceu um facão de cortar carne. Procuraram, e nada. Às duas da tarde, Capote proferiu o ultimato:

— A partir das cinco horas, vai morrer um cozinheiro por dia até o facão aparecer!

Quinze minutos depois, misteriosamente, o facão despencou de uma janela do pavilhão Nove e retornou ao devido lugar.

A Cozinha talvez fosse dos mais vivos exemplos de deterioração do velho presídio. Era um grande salão com goteiras, no térreo do pavilhão Seis, cheio de água empoçada nas lacunas entre os azulejos azuis que, em petição de miséria, remendavam o piso impossível de enxugar. À direita da entrada e na parede oposta a ela, alinhavam-se oito panelas de pressão, com capacidade para duzentos litros cada. Os exaustores encaixados acima das janelas tinham parado de funcionar havia anos, de modo que em franca operação as panelas descarregavam todo o vapor no ambiente interno.

Nas horas que precediam as refeições, a fumaça era tanta que a Cozinha parecia o inferno de Dante. Mal se conseguia discernir a figura dos homens que circulavam de botas de borracha e o cabelo coberto por um pano que lhes caía sobre os ombros,

172

à moda dos soldados da Legião Estrangeira nos filmes. A fumaça era tão densa que, por segurança, aqueles que se deslocavam com faca na mão, precisavam fazê-lo com a superfície de corte voltada para dentro e a ponta para baixo.

Os panelões achavam-se assentados sobre uma sapata de cimento construída para deixá-los num plano superior ao rés do chão. Esse amplo degrau em forma de L estava revestido pelos mesmos azulejos encardidos. No desnível entre o degrau e o resto do piso existia um sulco profundo por onde corria, a céu aberto, um riacho caudaloso que recolhia a água desprezada e a conduzia direto para a abertura do esgoto junto à porta de entrada.

Nos cantos do salão, encostados às colunas, estacionavam os carros de madeira com arcabouço metálico e os tachos usados no transporte da alimentação servida de cela em cela. Arroz e feijão eram despejados diretamente dos sacos nas panelas de pressão e serviam de base para a mistura de pedaços de carne com batata e cenoura cozida, junto com a farinha acrescentada para dar consistência ao prato.

Cozinha é ponto nevrálgico em qualquer presídio. O diretor de Disciplina diz que num lugar superpovoado como a Detenção, pior ainda:

— Se faltar comida, isso aqui explode em menos de 24 horas.

Para evitar tragédias a direção entregava o comando da Cozinha aos próprios detentos, um dos muitos exemplos de autogestão para compensar a falta crônica de funcionários.

As sucessivas administrações nunca foram ingênuas a ponto de imaginar que esse sistema evitaria o desvio de mantimentos da despensa para o mercado negro, com a inestimável colaboração de alguns funcionários, pois isso ocorre em todas as prisões do mundo. O que a direção pretendeu ao atribuir a responsabilidade de chefia aos próprios detentos foi criar um mecanismo de controle sobre a quantidade desviada, de modo a evitar roubos que comprometessem o abastecimento.

Por isso, os encarregados de impor ordem ao ambiente e guardar as facas de corte não podiam ser pessoas quaisquer; deviam ser homens temidos, respeitados pela massa, como Zelão,

Flavinho e Capote, caso contrário a despensa seria pilhada pelos mais audaciosos.

Zelão praticou mais de duzentos assaltos e matou dois ex-companheiros de quadrilha; é magro, cabelo curto por igual, cordial no trato e tem fama de violento na reação. Flavinho, bandido da zona sul, chegou aos dezoito anos com três mortes e um respeitável currículo de fugas da Febem; baixo e magro, sua figura não inspira respeito, a menos que, contrariado, seus olhos negros fixem os do interlocutor. O terceiro, Capote, que adquiriu fama e perdeu os dentes da frente por resistir a sucessivos interrogatórios policiais sem delatar os companheiros, jura que amadureceu na cadeia e tem remorso de haver roubado gente humilde. Quando sair, pretende se regenerar; promete que só encostará o revólver na cabeça de políticos corruptos. Seu maior desejo é um dia assaltar dois ex-governadores de São Paulo.

Como a marcenaria do pavilhão Seis funcionava no mesmo andar do velho cinema onde fazíamos as palestras sobre AIDS, à distância diversas vezes observei Zelão, Flavinho ou Capote conversando com o marceneiro-chefe, seu Chico, o velho marinheiro que matou o cunhado e os outros dois que não mereciam viver. A dinâmica dessas conversas secretas respeitava o ritual descrito nas consultas que a malandragem fazia ao ex-marinheiro: os encarregados da cozinha aguardavam de seu Chico a permissão para se aproximar, falavam em voz baixa, ouviam seus conselhos e retiravam-se. Estava claro que, da marcenaria, seu Chico comandava a Cozinha Geral.

Em 1995, a direção da Casa desativou a Cozinha e contratou uma empresa para fornecer refeições. Estava inaugurada a época da quentinha. Segundo a malandragem:

— Duro de encarar, doutor.

REENCONTRO

Numa tarde chuvosa, tocou o telefone na Carceragem do Oito. Um funcionário atendeu e trouxe o recado em voz baixa para o seu Pires, o diretor do pavilhão:

— Telefone para o seu Chico, é voz de moça.

Como o regulamento proíbe ligações externas para detentos, o diretor foi ver quem era:

— Quem quer falar com o seu Chico? Aqui não pode atender telefonema de fora!

Do outro lado, ouviu uma voz tímida:

— Meu senhor, me desculpa, eu tenho vinte anos, uma irmã de dezoito e meu irmão, dezessete. Somos filhos do seu Chico. A última vez que vi meu pai eu tinha cinco anos, e meu irmão era tão pequeno que nem lembra o rosto dele. A gente pensava que ele tinha morrido. Quando eu soube que não, reuni com os irmãos e o pastor da igreja sem minha mãe saber, e decidimos procurar o pai. Foi muito difícil falar aí, mas hoje consegui explicar direitinho para a telefonista, que ficou com dó da gente e permitiu.

A voz vinha embargada de medo. O chefe mandou chamar seu Chico.

Seu Chico entrou ressabiado na Carceragem. Deu uma olhada geral; tudo parecia na rotina, os funcionários e alguns presos dedicados ao trabalho burocrático; seu Pires, de cabelos grisalhos e um lápis atrás da orelha, lia um relatório na escrivaninha.

De frente para a janela, de costas para os outros, seu Chico disse alô e ficou mudo, por muito tempo. De onde estava, seu Pires percebeu as lágrimas nos olhos do prisioneiro.

Por vários dias o diretor do pavilhão observou o comportamento solitário do outro. Sem entender, os ladrões mantinham respeitosa distância do líder entristecido. Dias depois seu Chico o procurou em tom grave:

— Seu Pires, quero pedir um favor que faço questão de jamais esquecer.

Contou o drama daqueles anos todos, a vingança da mulher por causa da morte do irmão, as cartas devolvidas, morto para os filhos, e a conversa com a mais velha.

— Queria que o senhor me autorizasse a encontrar com eles lá fora, no coreto da Divineia. Não quero meus filhos dentro de uma cadeia.

— Assim o senhor me complica. Imagina se os outros 7 mil me pedem a mesma coisa. Em todo caso, como é uma situação especial, depois de tantos anos, vou abrir uma exceção, mas o senhor não pode ficar mais do que vinte minutos.

Na tarde marcada, seu Chico dirigiu-se ao coreto com dois detentos carregando um tapete vermelho, um vaso de flores, dois litros de guaraná, bolachas, pastéis e uma mesinha com toalha xadrez.

Tudo arrumado no coreto, o ex-marinheiro, com camisa de manga comprida para esconder a tatuagem, parou com os braços cruzados sobre o peito forte e esperou.

Passaram-se duas horas e as crianças não chegaram. Quando seu Pires decidiu, enfim, recolhê-lo, encontrou-o sentado, cotovelos apoiados nas coxas e a cabeça afundada nas mãos. Os dois homens voltaram ao pavilhão sem trocar palavra.

Na semana seguinte, no mesmo horário, novamente a telefonista: os filhos de seu Chico aguardavam na portaria. Tantos anos no presídio não impediram que seu Pires se emocionasse. Foi ele mesmo dar a notícia na marcenaria. Encontrou o prisioneiro serrando um banco, a serra cantando de ensurdecer. Desligou-a da tomada:

— Seu Chico, se arruma para ver seus filhos.

Quando os olhos incrédulos do detento fitaram os dele, descobriram um homem terno que seu Chico não conhecia. Por sua vez, os do diretor captaram no rosto anguloso do ex-marinheiro o olhar da criança que pegou um balão caído do céu.

Encontraram-se no coreto adornado às pressas com o tapete vermelho, a mesa, o lanche e o vaso de flores retiradas do altar de Nossa Senhora Aparecida, na capela do pavilhão. As duas mocinhas tinham tranças e vestidos compridos; o menino, terno azul, gravata e uma Bíblia. Abraçaram-se e choraram, os quatro, demoradamente. Repetidas vezes.

Trinta minutos depois, o encarregado da Divineia aproximou-se para levar seu Chico de volta para o pavilhão. Não teve coragem de interromper o encontro familiar e retornou da escadinha do coreto. O mesmo fez seu Pires, duas horas mais tarde.

Meses depois do reencontro, numa Revista incerta, os carcereiros encontraram no xadrez de seu Chico um arsenal de facas, entre elas uma enorme foice improvisada. A malandragem mais jovem nunca entendeu por que ele não escondia as armas em outro lugar:

— O velho era sistemático, não adotava o método moderno, tinha que ser do jeito próprio que ele estava acostumado.

Como punição seu Chico foi transferido para o interior. No mesmo movimento, Zelão e Flavinho foram para a Penitenciária do Estado. Nunca mais os vi, mas continuei recebendo notícias de seu Chico através do Capote, que continua na Casa esperando cantar a liberdade para se regenerar e, finalmente, assaltar os ex-governadores.

ZÉ DA CASA VERDE

Seu nome era Kenedi Baptista dos Santos, porém todos o conheciam como Zé da Casa Verde. As gírias, o cantado da fala paulista, o jeito de parar com o corpo jogado para trás, a disposição permanente para gozar os companheiros, tudo nele recendia malandragem.

Era ladrão desde a adolescência. Na volta dos bailes, quando a padaria levantava as portas e os empregados traziam pães para as prateleiras, roubava uma rosca doce e levava para o pai, que desconhecia a origem ilegal do presente. Fazia isso apenas para se vingar dele, homem honesto que brigava para o filho criar juízo.

Uma vez, Zé e eu conversávamos no pátio do pavilhão Quatro, quando um detento que trabalhava na burocracia trouxe um papel para assinar. O Zé calou a boca, sério, até o outro sair de perto.

— O que foi, Zé?

— Nunca me dei com traficante, é tudo cara safado. Eles se envolvem com os polícias e quem anda com polícia cagueta.

Sua lógica era euclidiana: como ladrão, ele entrava num banco, pegava todos de surpresa e fugia com os malotes. A polícia que corresse atrás do prejuízo. Se viesse, bala neles, que ele vinha com o objetivo de levar o dinheiro e duas famílias o esperavam. Já o traficante, não:

— Tem que ter acesso no viciado, ser dono de uma bocada. O tráfico está aberto 24 por 48, é lugar fixo, com movimento, como um mercado. A polícia fica logo sabendo. Para funcionar, tem que pagar o porrete deles. É a maior patifaria.

Por isso, Zé da Casa Verde era categórico:

— Lugar de ladrão é com ladrão. Traficante, que se entenda com a polícia!

Zé era casado com duas mulheres, Valda e Maria Luísa:

— A Valda tem pele branca como a neve. É de uma família de bem, em Santana, que nunca aceitou o nosso romance por causa da minha cor.

Os dois se conheceram num baile, ela ainda virgem, dançando com um rapaz no qual Zé não sentiu firmeza. No domingo seguinte, enquanto o rival disputava uma partida na várzea, Zé aproximou-se dela, na beirada do campo:

— Levanta e vem comigo, que eu vou te pedir em casamento para os teus pais.

— Você nem me conhece!

Ele falou dela no baile, da pele alva que contrastava com o preto da sua e dos filhos misturados que nasceriam lindos, cada um numa cor. Falou e foi esperá-la no fusca, que havia acabado de equipar com dinheiro roubado.

A espera não foi longa. Ela apareceu na janela do carro:

— Você falou sério?

— Como nunca na vida.

Pararam o fusca na porta do sobrado dos pais, em Santana, ela hesitante em fazê-lo entrar, ele tentando convencê-la da honestidade de seus propósitos. Estavam nessa conversa quando surgiu o rival na esquina, ainda com o uniforme de futebol, disposto a cobrar a ofensa. Zé não vacilou, desceu do carro e deu três tiros na direção do rapaz. O zagueiro esquerdo saiu correndo, na pressa perdeu até um pé de chuteira.

Zé, persuasivo, virou-se para a amada:

— Amanhã, às oito, reúne teus pais e tuas irmãs que eu venho te pedir em casamento. Esquece esse cara, se ele gostasse de você, enfrentava o perigo.

No dia seguinte, às oito, a reação da família foi a pior possível. Apesar do fusca envenenado e de se apresentar como trabalhador, filho de uma família exemplar, proprietária de um imóvel com escritura lavrada no cartório da Casa Verde, o pai da moça disse que preferia a filha morta do que casada com um negro malandro daqueles.

Com a persistência obstinada do Zé, os ânimos se exaltaram, o pai referindo-se à cor dele com desrespeito crescente. Quando foi chamado de negrinho insolente, Zé perdeu a paciência. Subiu na mesa, puxou o revólver, gritou que matava o primeiro que reagisse:

— Tranquei todo mundo no banheiro e levei o meu amor comigo, a minha mão preta no algodão da mão dela.

Teve quatro filhos com a Valda. Diz que são como ele queria:

— Cada um numa tonalidade, doutor.

Viveram na maior felicidade até ele conhecer Maria Luísa, passista da Império da Casa Verde:

— A bateria pegando pesado e ela dançando na frente, de vestidinho curto e um sorriso que iluminava a quadra inteira. Parecia uma deusa de ébano.

No carnaval, na concentração da escola, minutos antes do desfile, ele de guerreiro xangô, Maria Luísa de biquíni com lantejoula, ninguém sabe de onde, surgiram Valda e a irmã mais nova do Zé, solidária com a cunhada, e se engalfinharam com a rival. Ele outra vez perdeu a paciência e puxou o revólver:

179

— Dei uma coronhada na cabeça de cada uma, mandei as três para casa e sambei sozinho na avenida.

Na vida dupla, teve três filhos com Maria Luísa. Depois, foi preso em flagrante num assalto a uma sapataria na Voluntários da Pátria, pertinho do Carandiru.

No primeiro domingo na cadeia, recebeu a visita da Valda. Sentaram-se de mãos dadas num banco forrado com cobertor, junto à muralha.

Às tantas, Zé ouviu anunciar na Boca de Ferro:

— Kenedi Baptista dos Santos, dirija-se à entrada do pavilhão.

Sentiu um frio no estômago, só podia ser a Maria Luísa! Pediu licença à Valda, correu para a sala das caldeiras, ao lado, e se lambuzou de graxa. Encontrou a mulata na porta, sorridente de saudades. Beijou-a com cerimônia para não esbarrar as mãos sujas nela e explicou:

— Meu amor, que bom que você veio, mas, infelizmente, não vou poder te receber porque estou trabalhando num conserto, devido que a caldeira estourou e o homem quer tudo pronto até o final que acabar a visita.

— Zé, você está é com aquela vagabunda. Nem na rua tu nunca trabalhou, vai me convencer que na cadeia, dia de domingo, é que resolveu regenerar?

Contra a força dos fatos não há argumento, pensou ele, e se rendeu à lógica feminina:

— Está bem, é verdade, porém você já veio e agora não tem mais volta para trás. Hoje nós três vamos entrar num entendimento.

Deu trabalho convencê-la a se encontrar com a outra. No banco, Valda não achou palavras para exprimir o que sentiu ao vê-lo chegar com Maria Luísa, oferecer-lhe um lugar ao lado dela e sentar-se entre as duas. Seguiu-se um longo silêncio.

Finalmente, em voz baixa para evitar escândalo, Valda virou-se para ele:

— Como é que você traz essa vagabunda aqui?

— Querida, a Maria Luísa não é vagabunda, trabalha na tecelagem e cria nossos três filhos com o maior carinho.

Em seguida, voltando-se para a Maria Luísa:

— Você, por sua vez, também disse lá fora que a Valda era vagabunda. Da mesma forma, não é verdade, ela é trabalhadeira, auxiliar de repartição na prefeitura, e toma conta dos quatro filhos que nós pôs no mundo.

— Você vai decidir agora com qual de nós duas quer ficar — insurgiu-se Maria Luísa, com o que concordou imediatamente a Valda. Ele ficou desconsolado:

— Assim vocês vão partir meu coração no meio.

Segundo Zé, a harmonia hoje é tanta que aos domingos as duas passeiam juntas com as sete crianças no parque do Carmo. Em liberdade, ele vai realizar o velho sonho de juntar as duas famílias na mesma casa, na santa paz.

NEGUINHO

Neguinho começou assim:

— A minha senhora mãe matou, acho que o amante dela que chegou bêbado e quis bater outra vez na gente. O meu pai não poderia saber, porque justamente se encontrava recluso na Penitenciária. Foi onde que teve a revolta de nós mesmos e cada um viveu o seu lado.

Eram seis filhos: Neguinho, quatro irmãs e um irmão mais novo. Com a prisão da mãe, as meninas foram internadas no Juizado de Menores e os dois meninos na Asdrúbal Nascimento. Ao contrário do irmão, mais obediente, Neguinho ficou pouco tempo no velho prédio do centro de São Paulo onde recolhiam menores desamparados e infratores. Precoce, pegou carona num plano de fuga dos mais velhos e sumiu na rua.

Com a sabedoria dos seis anos, Neguinho viveu por conta própria na cidade. Dormia embaixo das marquises dos prédios enrolado num cobertorzinho, com jornal enfiado por dentro da roupa; batia carteira, vendia bala em saco, chiclete e doce de leite Embaré e assaltava de arrastão, com os companheiros mais graúdos.

— Vira e mexe, passava a Recolha e me levava de volta para a Asdrúbal Nascimento. Eu nem ficava triste, aprendia no quadro-negro da vida.

Um dia descuidavam e ele fugia de novo.

— E, assim, trilhei meu destino de ladrão. Passava um, todo bonito e simpático, era dia de festa, os outros com seus brinquedinhos e eu sem nada. Com isso eu tornei-me tipo a pessoa egoísta, porque queria ter mas não poderia e nem teria capacidade, justamente pela falta da mãe e do pai para que acontecesse o dia a dia.

Dos seis aos dezoito anos, somadas as passagens pelo Juizado, esteve quase onze na prisão — um ano e pouco em liberdade. Foi parar até em Mogi, classificado na categoria C, os de maior periculosidade. Fugiu de lá também. Quando completou quinze anos, o pai saiu da Penitenciária decidido a reunir a família. Pegou uma filha aqui, outra acolá, o filho mais novo que era menino comportado e foi atrás de Neguinho, no Crime. Encontrou-o numa mesa de sinuca na rua Guaianases, Boca do Lixo:

— Chega dessa vida, meu filho, teu pai está de volta.

Foram morar numa casinha para lá da Vila Ema, todos trabalhando exceto ele, que roubava e trazia mantimentos, guloseimas e refrigerante à vontade. Um dia, Juciléia, a irmã mais velha, apaixonou-se por um tipo à toa. O pai, que havia sofrido na cadeia e não queria marginal na família, proibiu o namoro. Uma noite, ao chegar do trabalho, deu com o namorado da filha estatelado no sofá da sala, com uma garrafa de cerveja pela metade. O sangue subiu-lhe à cabeça:

— Falou que não queria bandido da porta para dentro da nossa casa e que da próxima vez punha ele para fora a bofetão.

A repressão foi mal recebida:

— Mexeu com o instinto do elemento, que deu dois tiros no estômago do meu pai.

Por obra do acaso, neste exato momento Neguinho chegou em casa, acompanhado:

— Do meu vinte e doisinho, que não desgrudava de mim.

Viu o pai caído na sala e o elemento ainda com a arma na mão, de costas para a porta.

— Só chamei: o que que é isso, rapaz? No que ele se virou, dei vários tiros na cabeça dele.

Neguinho atribui a reação às circunstâncias:

— Devido às condições que eu vi meu pai, foi aonde que foi tomada essa atitude forte.

Para não deixar o corpo no meio da família, na sala, Neguinho o arrastou para o meio da rua e mandou as irmãs chamarem a polícia, que chegou logo, e uma ambulância, que demorou horas. Voltou para a Febem.

O pai fez duas operações e escapou com vida, a irmã esqueceu do namorado, hoje é casada e tem família, como as outras três, e o irmão trabalha numa firma muito boa. Ele, continuou a viver seu destino.

Chegou na Detenção pela primeira vez ao atingir a maioridade. Numa noite de ensaio, saiu da escola de samba com quatro amigos num táxi e vieram por Cangaíba, cruzaram o mercado da Penha e desceram para a Marginal, quando uma viatura da polícia deu luz para parar. Contrariando as ordens dos cinco, o motorista, que nada tinha a ver com a história, encostou o carro e se jogou no asfalto com as mãos na cabeça. Neguinho e os amigos saíram atirando:

— Nessa daí, fui alvejado seis vezes. Pegou dois nas costas, um na barriga, três no peito e um de raspão na orelha, que eu nem conto. Mesmo assim, não fiquei deficiente nem nada.

Cumpriu nove meses e ganhou novamente a liberdade, porque o juiz considerou a reação como legítima defesa. Afinal, os policiais também atiraram e não foram feridos, ao contrário:

— Eles é que me atingiram em diversos pontos do organismo.

Na rua, a alegria durou pouco, como sempre. A polícia cercou a favela, em seu encalço:

— Eu caí, devido que eles tomaram partido da surpresa. Me algemaram, puseram eu no camburão e levaram para um mato ermo. Lá, fizeram eu descer com os braços para trás, na algema, alegaram que eu matei um primo deles, que também era polícia, sendo que nada ficou provado em juízo porque a testemunha não me reconheceu, e, além disso, eu tinha saído da cadeia fazia duas semanas só.

Dessa vez o castigo deixou sequela. Tomou dezoito tiros: nas costas, pernas e braços. Uma bala penetrou através do maxilar superior, passou por trás da órbita e foi parar no cérebro, próximo de outra que entrou direto pela calota craniana:

— As duas estão na minha mente até hoje, mas não me afetam. Graças a Deus, converso normal e penso as ideias certas. O único que me atingiu foi um que eles me deram na espinha, onde que eles encostaram a arma, apertaram e falaram: levanta, vagabundo!

Neguinho tentou, mas as pernas não obedeceram. Se não morrer, fica aleijado, disseram.

— Depois, puseram o 22 na minha mão, e apertaram três vezes, como coisa que eu tinha trocado tiro com eles. Aí, agarraram, balançaram meu corpo bambo para lá e para cá, me jogaram de volta na viatura e vieram devagarinho. Eu no esvaimento do sangue, com as pernas mortas, e eles na maior tranquilidade. Só quando chegou nas imediações da vizinhança do Hospital das Clínicas é que ligaram a sirene. Hoje eu interpreto que eles agiram meio na covardia.

Passou vários dias na UTI, cheio de soros e drenos cirúrgicos. Nem esperaram a recuperação completa para dar alta; ficaram com medo de que os companheiros aparecessem para resgatá-lo. Terminou o pós-operatório no hospital da Penitenciária.

Naquele presídio, de cadeira de rodas, passou cerca de dez anos, até surgir a oportunidade do semiaberto. Na Colônia, cumpriu três meses e foi solto.

Ficou apenas doze dias em liberdade porque, segundo alega, a polícia forjou um flagrante de um quilo e meio de pedra de crack, dez metralhadoras e uma PT, arma de treze tiros da Taurus:

— Chegou no Fórum, provei que não teria condições de eu, paraplégico, deficiente, fazer contato com marginal nenhum, sendo que eu morava na favela e não possuía veículo para me demover. O juiz, não sei por quê, desconsiderou meus argumentos e me mandou para o distrito. Fiquei perambulando de uma delegacia para outra, da 45 para a 90, com escara nas nádegas, sem ter como fazer curativo, o pus escorrendo na carne morta.

Conheci Neguinho de cadeira de rodas e sonda vesical, condenado a 48 anos, o rosto talhado como estátua africana, olhar de poucos amigos. Tinha as pernas paralisadas e hipotróficas, a pele descamativa e uma escara funda na região glútea, na qual caberiam dois limões galegos, pelo menos. A ferida expunha a anatomia dos feixes musculares profundos e uma parte da articulação coxofemoral.

Um dos rapazes da enfermaria fazia o curativo diário. Com uma pinça, cavoucava um chumaço de gaze embebido em pomada de furacin misturada com açúcar. Mexia com força para avivar os brios cicatriciais da lesão. Não doía, o local era insensível.

Neguinho era respeitado por todos, mesmo pelos funcionários. Na hora do curativo, ocasionalmente me chamavam para ver a lesão. Fora isso, nosso relacionamento não ia além de boa-tarde e boa-noite. Nunca o surpreendi descontraído, rindo ou brincando com alguém. O rosto crispado parecia sempre disposto a reivindicar seus direitos.

Uma tarde, ele vinha de lá e eu de cá, na galeria; só nós dois e a cadeira de rodas rangendo:

— E aí, como vai a escara?
— Melhorou, está sequinha e mais rasa.
— Vai sarar.
— Obrigado. Deus proteja o senhor.

Parece que esboçou um sorriso. Senti o ódio fugir-lhe da expressão. Não que nela tivesse se instalado a tranquilidade, longe disso; num lampejo, nos olhos pretos como jabuticaba reluziu um brilho desarmado, fugaz.

MANGA

Antes de chegar aos presos, as cartas são abertas. Três pessoas fazem o serviço. Na mesa, um detento corta com tesoura a lateral do envelope, um funcionário esvazia o conteúdo à procura de objetos estranhos e outro detento grampeia a parte aberta. Não há curiosidade em lê-las; nem haveria tempo, são milhares. Em seguida, a correspondência é separada de acordo com o pavilhão ao qual se destina, para ser distribuída pelo carteiro de cela em cela.

Uma das lições que aprendi com o funcionário Waldemar Gonçalves foi ouvir os presos que entregam as cartas:

— Para conhecer o andamento da cadeia, é fundamental falar com eles, doutor.

Manga, um carteiro detido no pavilhão Sete, gostava de conversar comigo — e eu com ele. Era um sergipano alto, fluente, com um vozeirão, que havia fugido da cidade natal para escapar da vingança dos irmãos de uma moça que alegava ter perdido a virgindade com ele. Com o tempo, Manga confiou em mim a ponto de descrever com detalhes o movimento de droga na cadeia, o que me ajudava na estratégia das campanhas de prevenção à AIDS. Por exemplo, foi ele o primeiro a dizer:

— Doutor, nem precisa insistir com os manos para não injetar na veia, que o baque já era. Pode correr a cadeia inteira que o senhor não acha uma seringa para contar a história. Agora é a vez do crack. Veio para arrebentar bunda de malandro.

Manga jurava que tinha vindo parar na Detenção por um erro judiciário. Anos antes, ao sair da cadeia de Sorocaba, sem dinheiro, um amigo emprestou-lhe meio quilo de maconha. Vendia na rua do Estudante, onde morava, na Dr. Lundi e na Thomaz Gonzaga, no bairro da Liberdade, centro de São Paulo. Dava para as despesas e sobrava um pouco:

— Para comprar roupinha para o nenê que ia nascer, uma pizza no domingo e cuidar da esposa, dar aquele carinho que toda mulher necessita.

Então, entrou em cena a tal de Sonha, uma vizinha com quem Manga mantinha relacionamento comercial:

— A Sonha foi pega com doze parangas de fumo enfurnadas na panela de pressão e, para livrar a cara dela, deu eu. Foi onde que eu levei um bote do DEIC.

Os policiais invadiram sua casa e encontraram um quilo de maconha:

— Tive que entregar tudo e mais uma boa grana para escapar do flagrante. Tudo bem, só me mandaram deixar quieto uns dias.

Voltou para casa deprimido, outra vez sem dinheiro:

— Meu filho tinha acabado de nascer e eu na pior dureza, chamando mendigo de Excelência.

Nesse momento delicado, Genival, um de seus fregueses, tocou a campainha:

— Ô, Manga, me vende uma paranga de fumo aí, amanhã te dou o dinheiro.

— Não vou te vender paranga nenhuma, que eu vou passar três dias parado. Então, é o seguinte, leva este caroço aqui para fumar com os malucos no beco da igreja e esquece do Manga, que eu estou deixando quieto a pedido dos homens.

Genival agradeceu e foi embora. Passaram-se algumas horas e Manga saiu para pensar na vida. Quando virou a rua da Glória na direção da praça João Mendes, em sua direção veio o Águas Turvas:

— Manga, ia na tua casa atrás de uma paranga.

— Já era, a última eu dei para o Genival.

Águas Turvas não gostou da resposta:

— É, chegou esses dias das Alagoas, nem bem entrou na área e já está levando uma de traficante e tal.

Manga desconhecia o passado de Genival:

— Tu nega fumo para mim e vende para aquele pilantra, que tem mancada, estupro assinado e tudo, vim querer fumar na nossa bancada, no meio dos ladrão!

Dito isso, Águas Turvas tirou um cano da cintura e desferiu um golpe contra a cabeça de Manga. A força foi tanta que o ferro cantou no ar. Agilmente, o sergipano esquivou-se, mas o cano resvalou-lhe o supercílio. Cego de ódio e sangue, puxou a faca e, antes que o adversário tivesse tempo para atacá-lo de novo, cravou-lhe o punhal no peito. Águas Turvas desequilibrou-se, para trás, mas não largou o cano. Manga, então, raciocinou:

— Se eu não der um fim neste maluco, agora, vou perder o sossego para andar na rua.

Foram mais três facadas, bem dadas, duas no abdômen e uma nas costas enquanto o outro caía de bruços, na sarjeta.

Largou o desafeto numa poça de sangue, no meio da curiosidade assustada dos transeuntes, e correu para casa. Pegou a mulher, o filho recém-nascido, trancou tudo e fugiram para a casa da sogra, na Vila Madalena.

— A situação só ia para trás: o acerto com a polícia tinha me quebrado, depois essa fita de furar o Águas, o moleque pequenininho cheio de necessidade, ainda mais na casa da sogra que enchia a cabeça da filha por causa da vida que eu levava.

Para não depender da sogra, resolveu roubar um toca-fita em Pinheiros com um rapaz que atendia pelo vulgo de Boca-Larga. O toca-fita estava na perua de uma floricultura, ao lado do cemitério da Cardeal Arcoverde. Foi só abrir a porta, especialidade do amigo, o alarme disparou. Boca-Larga saiu correndo, Manga tentou puxar o toca-fita, mas não tinha experiência com esse tipo de roubo:

— O alarme buzinava sem parar; eu nervoso com o toca-fita que não saía. Aí, pega ladrão daqui, pega dali, acabei cercado e tive que pular para dentro do cemitério. Sabe onde eu fui cair?

Não foi feliz na queda, andava mesmo com azar:

— Bem no buraco de uma cova aberta. Aquele cemiterião enorme, e eu pulo o muro justo em cima da cova! Era um buracão, doutor, o polícia me catou de lá, com a perna sem condição de aguentar o peso do corpo.

No distrito, com dor, Manga deu nome falso. Dois dias mais tarde, foi identificado e transferido para o presídio do Hipódromo, onde encontrou um desafeto vingativo. A fase de azar persistia:

— O irmão do Águas Turvas, cujo vulgo era conhecido como Zoio Vesgo. Ali, fiquei sabendo que o Águas não tinha morrido; embora que ficou com um defeitão no meio da barriga. Batemos boca, o Zoio Vesgo e eu e tal, mas lá tem segurança para prevenir desentendimento e ficamos só no: quando sair na rua, vai ser você ou eu! Vai ser mesmo!

Manga saiu primeiro, voltou ao comércio de maconha, retornou à rua dos Estudantes com a mulher e o filho e comprou um revólver. Uma noite, trombou com o inimigo na Baixada do Glicério:

— Zoio Vesgo e eu, cara a cara, como daqui naquela parede lá no fundo da galeria, uns dez metros. Pulei para detrás de um carro parado e dei seis tiros nele. E ele, seis tiros em mim.

Doze balas perdidas que quebraram os vidros dos automóveis estacionados. Quando se certificaram de que a munição havia acabado, partiram para o confronto físico. A briga começou no quarteirão de cima e rolou ladeira abaixo. Terminou no meio de uma aglomeração, com os dois exaustos, ensanguentados e presos por um PM que passava.

Foram parar no distrito, assinaram porte ilegal de arma, crime afiançável, e voltaram para a rua.

— Passado um mês, um truta meu, o Batata, que roubava comigo, fez um assalto de parceria com o Zoio Vesgo. Na partilha, o Zoio deu um chapéu no Batata. Quando o Batata descobriu que tinha tomado um banho na fita, foi lá e deu três tiros nele; dois na cabeça, para ter certeza. O Águas Turvas nunca mais vi.

Por causa da passagem anterior pela delegacia, Manga foi acusado da morte de Zoio Vesgo. Sem advogado, nem álibi convincente, foi condenado a cumprir nove anos de cadeia. Não se conformava com a falta de sorte:

— Tanta maconha que eu vendi, assaltos, roubo de loja, venho preso justamente por um crime que não cometi. A Justiça é cega, doutor.

Manga foi um dos fugitivos do túnel do pavilhão Sete. Dois anos depois voltou para a Detenção. Num final de tarde procurou-me para um assunto particular. Conversamos na sala dos médicos; o sol entrava pela janela e projetava uma sombra gradeada em seu rosto. Estendeu-me um envelope sobrescrito com letra bordada. Na carta, a mulher dizia estar cansada de sofrer por causa dele e decidida a ouvir os conselhos da mãe. Tinha ido para Minas com as duas crianças, a menor nascida depois da fuga, para nunca mais voltar.

Enquanto eu lia a carta, ele chorou de soluçar. Quando terminei, fiquei quieto esperando que se acalmasse. Então, as lágrimas pararam de correr. Ele enxugou os olhos, levantou, agradeceu e saiu, antes que eu tivesse dito uma só palavra de conforto.

SEU JEREMIAS

Seu Jeremias desentendeu-se com um funcionário e pegou trinta dias na Isolada. Fui visitá-lo com o Waldemar Gonçalves. Pelo guichê da cela escura, mal pude discernir suas feições de negro velho e a carapinha grisalha. Quando saiu, veio agradecer a visita. Estava magro e tinha os olhos tristes. Sua figura, no entanto, transmitia uma força de caráter que lembrava meu pai.

— Para quem passou um mês na tranca brava, o senhor até que está bem.

— Tantos anos preso, doutor, a mente aprende a dominar o corpo.

Assim começou nossa amizade. Aprendi muito com ele sobre a vida na cadeia e fora dela também.

Seu Jeremias fugiu da seca na Bahia nos anos 40 e desembarcou na Estação da Luz, recém-casado; ela com um lencinho na cabeça, morta de frio, e ele com os pertences do casal na mala de papelão.

Tiveram dezoito filhos, que lhes deram 32 netos e sete bisnetos. Homem obstinado, conseguiu manter a família com dignidade; as filhas casaram de véu na igreja, os meninos jamais pisaram numa delegacia e a esposa, muito católica, vem visitá-lo todos os finais de semana, há vinte anos, embora nunca tenha concordado com os erros que ele cometeu:

— Em casa, se ela descobria um grão de alpiste ganho sem o suor do meu rosto, saía para dar parte na polícia. Um custo para segurar, precisavam os filhos interferir. Por isso, doutor, não é tudo que se pode contar para uma mulher, por mais que o senhor goste dela. Casamento não é confessionário.

Seu Jeremias é daqueles homens que jogaram uma pá de cal sobre o passado. Nunca tive coragem de perguntar-lhe a respeito da vida no crime; ele tampouco deu tal liberdade. Apenas uma vez, contou que foi preso em Santos ao desentocar dez cigarros de maconha do porão de sua vendinha, para entregá-los a dois estivadores. Falou de passagem e cortou o assunto.

Apesar dos atropelos gramaticais, sua linguagem é rica; as frases entonadas com uma ponta de sotaque nordestino são entremeadas por momentos de silêncio que prendem o fôlego do interlocutor. É um prazer ouvi-lo. Não fosse analfabeto, seu Jeremias podia escrever um manual de sobrevivência:

— Visto de antigamente, a Detenção agora é um parque infantil. Quando morre dois ou três, fica todo mundo assustado. Aí, eu falo: vocês não sabem como era há vinte anos atrás.

Naquele tempo, nas disputas, morriam quarenta ou cinquenta só no Oito e Nove. Depois, atravessavam para os outros pavilhões e matavam mais gente ainda:

— Quando caíam as bocas dos traficantes, por caguetagem, saía um comboio de vinte ou trinta dando rupa, matando tudo que achasse pela galeria; se fosse e o que não fosse. Até bicha morria nisso. Isto aqui, é um barril de pólvora!

Os mortos eram recolhidos na sala de guardar material de limpeza no térreo do Cinco; necrotério de emergência:

— Ali, a morte irmanava todos. Empilhava um em cima do outro, até chegar o homem do livro preto para pendurar um cartão no pescoço, anotado os dados do morto. Isto aqui, acontece coisa que a gente nem gosta de lembrar!

Experiente e respeitado, nunca o assustaram as confusões de corredor, o bate-boca num xadrez, nem as brigas da rua Dez. Para ele, os momentos de tranquilidade é que são perigosos:

— Quando o senhor vê a cadeia em silêncio, pouco movimento na galeria, muita obediência, vai acontecer alguma coisa. É um túnel que estão fazendo, vão morrer dois ou três; vai explodir. Todo mundo sabe, mas não pode bater com a língua no dente. Isto aqui, tem que ter um olho no padre, outro na missa!

Seu Jeremias disse que aprendeu com os mais velhos a não participar de rodinhas, nem andar com outros presos para não se envolver em problemas alheios. Para ele, solidão é estratégia de sobrevivência:

— Posso morrer de doença, mas assassinado na cadeia, não. Acabo a conversa com o senhor, vou direto para o xadrez e fecho a porta. Não confio em ninguém e não tenho amigo nenhum; amigo preso, eu não quero; que é isso! Muitos me conhecem, estou aqui há tantos anos; opa, opa, vou passando. Na cadeia, tem que andar sozinho, e Deus. Isto aqui, é pisar em casca de ovo!

Apesar dos estupros daquele tempo sem visitas íntimas, ele diz que havia mais respeito. A direção da Casa detinha a posse dos xadrezes:

— Eles não queriam saber se já estava cheio, iam pondo mais três ou quatro aqui, ali e acolá. Aí, tinha que pedir licença, tirar o sapato, que o xadrez era forrado com aquelas mantas Parahyba e perguntar quem estava há mais tempo na cela. O mais velho mandava ler o regulamento num papel grudado atrás da porta, e tinha que obedecer. Isto aqui, é cheio de mistério!

Os códigos eram mais rígidos. Uma vez, um bandido do pavilhão Oito envolveu-se com um homossexual. Num domingo, a mulher veio visitá-lo sem que ele a esperasse, encontrou-o com o amante e armou escândalo:

— Arranhou toda a cara da bicha, que ficou furiosa e gritou para ela: vai embora, não precisa mais vim aqui, que eu já banco ele a semana toda!

A malandragem estranhou:

— O que é isso? Tudo ao contrário, agora é a bicha que banca para o ladrão?

O desfecho não esperou:

— No dia seguinte, quando foram ver direitinho, o preto no branco, a bicha comia ele. Os caras pensando que ele era marido da bicha e ele dando para ela. Foi fatal, mataram ele e a bicha também. Isto aqui, é um lugar sem dó nem piedade!

Uma vez perguntei se havia lhe acontecido algo de bom na cadeia. Respondeu que a sensação de sair para a rua, em liberdade, com a mulher esperando na porta é indescritível:

— É uma felicidade que transborda do peito. O senhor quer rir, mas é pouco; tem vontade de chorar, mas dá vergonha.

Ao contrário:

— A coisa mais horrível da cadeia é duas: o cara rouba na rua, mata, pinta o diacho e muitos chegam aqui e têm que virar bicha. A outra, é acabar os seus dias numa poça de sangue na galeria.

Num começo de ano, seu Jeremias foi transferido e nunca mais o vi. Passou o tempo. Uma manhã, cheguei no hospital Sírio-Libanês e havia um rapaz me esperando. Era filho dele. O pai tinha sido libertado e no domingo seguinte completaria o septuagésimo aniversário. Como falava de nossa amizade para a família, queriam fazer-lhe a surpresa de levar-me para visitá-lo nessa data.

Domingo, desci do metrô na última estação, Itaquera, encontrei o rapaz e pegamos um ônibus que demorou quarenta minutos até o ponto final. De lá, foi quase meia hora a pé por ruas de terra até chegar a uma casinha com alpendre, abarrotada de filhos e netos. Seu Jeremias estava no quintal com dois meninos que levantavam um carramanchão de chuchu para ele consertar a cerca, do lado de um canteiro de dálias. Quando me viu, seus olhos se emocionaram. Tive vontade de dar um abraço nele, mas fiquei com vergonha.

VERONIQUE, A JAPONESA

Na primeira vez que atendi os presos do Amarelo, como já contei, um pastor da Assembleia de Deus me pediu para atender um travesti com dores nas coxas.

Esse travesti insistia que a chamassem de Veronique. Teimava, batia o pé, mas para a malandragem ela era a Japonesa, referência aos olhos puxados de cabocla mato-grossense. Desde pequena brincava de boneca e vestia roupas da mãe. Na infância, o primeiro arroubo sexual foi por causa de um homem, como acontece com muitos meninos que mais tarde serão homossexuais.

Em Corumbá, quando completou onze anos, órfã de pai, começou a tomar hormônio feminino. Aos treze, debutou num motel com um senhor que só contratava menores. Um ano depois, cansada das surras do irmão, fugiu com uma amiga para Porto Velho. De lá, vieram para São Paulo, morar num cômodo da Barra Funda e fazer ponto na avenida de acesso à Cidade Universitária.

Nessa época, Veronique procurou uma "bombadeira", que lhe deu um suco de maracujá para acalmar e injetou-lhe um litro de silicone industrial nas nádegas. Com o tempo, esse silicone, comprado em loja de material para construção, infiltrou-se entre as fibras dos músculos e provocou um processo inflamatório crônico, razão de seu sofrimento no Amarelo. A face posterior das coxas estava inchada, vermelha e tão dolorida que ela mal conseguia andar. Internei-a na enfermaria.

Lá, extrovertida, virou vedete. Confortava os aflitos, brincava e cantava na galeria; todos riam de seu jeito escandaloso:

— O ladrão precisa da gente neste lugar, doutor, é muito homem fechado, sem aquela coisa feminina para dar apoio. Eu escuto, dou conselho, faço carinho, depois eles me agradam: um maço, um docinho, uma joia.

Dois homens marcaram seu coração: um traficante ciumento na cadeia e um francês na avenida, que no início pensou que ela fosse mulher. Foi casada um ano com o bandido; com o francês, oito meses, ganhou pulseira de ouro, vestidos, dinheiro e um colar de pérolas que ela empenhou na Caixa.

— Teve também um turcão peludo, pai de três filhos, que se apaixonou e quis me matar com três tiros quando descobriu que eu estava de caso com um sargento da PM.

Veronique vivia armando confusão com os outros travestis do Cinco mas, passada a raiva, perdoava as companheiras:

— Tem muita competição entre nós, porque uma quer ser mais do que a outra. Se uma fala que vai para a Itália, a amiga que não tem onde cair morta diz que foi convidada para desfilar no Japão. Se uma compra um frango, a amiga que não tem onde cair morta até se prostitui para mostrar que é chique e come frango também. Querem se engrandecer em tudo. Devido a isso que dá essas brigas de rolar no chão e arrancar cabelo. Depois, acalma e volta tudo na amizade, que a gente não é revoltada como esses ladrão, que matam o amigo. No fundo, a gente é unida porque uma precisa da outra para sobreviver.

Contam as más línguas que anos atrás no pavilhão Cinco, tarde da noite, a galeria inteira ouviu a ameaça de Veronique:

— É tempo de Natal. A Veronique aqui está a fim de ganhar um mimo de certos ladrão, para não contar as sem-vergonhices que eles pedem para ela fazer neles. A Verô está muito nervosa. Tem 24 horas para acalmar ela, se não quiser sujar a reputação de muito malandro!

No dia seguinte, um bisbilhoteiro ficou boquiaberto com a quantidade de presentes caros espalhada em cima da cama dela.

Realmente, discrição não era sua maior virtude, e muitos de seus problemas foram consequentes à falta desse requisito, fundamental na cadeia. Uma vez, o diretor de Vigilância dava atendimento aos presos em sua sala no Pavilhão Seis, quando Veronique entrou pela porta da frente, toda afetada:

— Ai, seu Jesus, socorro, o bicho está pegando.

Falou, cruzando a sala, e saiu pela porta lateral. Imediatamente, atrás, veio um ladrão com a faca no pescoço de um funcionário, ameaçando o diretor:

— Se fizer alguma coisa, ele morre. Quero bonde para Avaré!

Dias mais tarde seu Jesus, com humor, referia-se ao acontecido:

— Ela falou, mas não deu tempo de tomar providência nenhuma; foi uma alcaguetagem-relâmpago.

Numa das muitas confusões em que se meteu no Cinco, as companheiras de xadrez expulsaram-na da cela. Juntou seus pertences e não se fez de rogada:

— Vou embora mesmo, porque vocês são gentinha. Sem a Verô aqui para trazer uma guloseima, vão ter que chafurdar na quentinha, a seco. Eu sou chique, querida na cadeia, tenho convite para morar em qualquer pavilhão. Vocês, vão mofar no quarto andar do Cinco, suas fubás da zona leste!

De fato, passou a noite no xadrez de um malandro do Sete. O rapaz, todo gentil, cedeu-lhe a cama e dormiu a seus pés, no chão. Para quê! No dia seguinte, os faxineiros viram a cena pelo guichê e levaram o caso para o encarregado da Faxina, que expulsou o cavalheiro do pavilhão:

— Onde já se viu, ladrão de respeito pôr a bicha na cama e dormir no chão! Agora inverteu tudo?

A maior ousadia de Veronique, entretanto, foi enganar o diretor de Disciplina, homem que começou a vida profissional décadas atrás abrindo e fechando porta no pavilhão Nove. Correu um boato de que havia um revólver no Oito. Conversa de arma de fogo na cadeia é sempre levada a sério, porque se for verdade, coloca a vida de todos em risco. O diretor de Disciplina trancou o pavilhão e mandou revistar de cela em cela — "operação pente-fino". Nada! Colocou em campo a rede de informantes e aguardou, impaciente.

No outro dia, Veronique apareceu na sala dele, misteriosa feito gata:

— Seu Lopes, conheço um certo ladrão que entrega o dono do cano para o senhor em troca de um bonde para a Penitenciária. Só que tem o seguinte, ele só dá o mi depois que for transferido; tem medo de morrer se falar antes.

Aceita a proposta pelo diretor, Veronique voltou acompanhada do pretenso delator, um moreninho de cabelo ondulado, com uma pinta saliente na ponta do queixo. Ela se aproximou da mesa; ele, arisco, parou na soleira da porta:

— Seu Lopes, conta aqui para o bofe se não é verdade que se ele entregar, o senhor dá o bonde dele para a Penitenciária.

— É verdade, pode confiar; ela já falou comigo.

— Viu, medrosão, não te disse?

Seu Lopes prometeu e cumpriu. Terça-feira transferiu o bofe e avisou os colegas da Penitenciária para transmitir-lhe a informação, assim que o rapaz falasse. Quarta e quinta-feira, e nenhum telefonema. Na sexta, o diretor de Disciplina acordou irritado e foi direto para a Penitenciária cobrar a promessa:

— Qual é meu, está querendo me dar chapéu? Eu te transfiro, e você, nada?

— Como nada, seu Lopes, mandei os 200 reais do senhor pela Veronique.

Mais tarde, seu Lopes comentaria que a vida inteira é pouco para conhecer uma cadeia. Na hora, porém, enfezou-se, levou o falso alcagueta de volta para a Detenção e, no intuito de evitar vingança, transferiu Veronique para o Amarelo, onde fui encontrá-la naquela noite, chorando de dor nas coxas inflamadas.

NEGO-PRETO

Cheguei no ambulatório e o Arnaldo não estava. Sem ele, o atendimento ficava complicado por causa da burocracia com as fichas médicas e a liberação de medicamentos. Perguntei por ele:

— Está resolvendo um probleminha na enfermaria e já volta.

Arnaldo demorou e eu resolvi procurá-lo. Encontrei-o no corredor discutindo com um grupo de doentes. Conversa tensa; acusavam-no de não entregar a medicação prescrita. Um preso com o corpo queimado voltou-se para mim:

— Desculpa, doutor, estamos resolvendo um problema com o companheiro aqui que está dando mancada.

Para acalmar os ânimos eu disse que o Arnaldo trabalhava há três meses na enfermaria e que eu não tinha queixas dele. Um rapaz franzino, dos mais exaltados na roda, respondeu:

— É por isso que ele está tendo a oportunidade de se defender. Porque já tinha mano dizendo que amanhã, quando ele fosse entregar os remédios no fundo da galeria, o caminho seria sem volta.

Nesse momento, veio pela galeria um rapaz escuro e parou a um metro da rodinha. Sua aproximação foi precedida pelo silêncio dos outros:

— Não acredito que vocês estão debatendo um problema desses na presença do médico. Onde nós estamos?

A interferência dele acabou com a discussão. Um a um, os debatedores se dispersaram.

No final do ambulatório mandei chamar o rapaz que acabou com a briga. Nego-Preto a seu dispor, disse ele. Pedi-lhe que interviesse para evitar violência contra o Arnaldo. Respondeu que eu podia ficar tranquilo, a situação já estava resolvida.

Depois disso, sempre aparecia para conversar, contava casos da cadeia e falava das preocupações com a família, principalmente com o filho mais velho, adolescente sem juízo, que não obedecia à mãe.

O passado de Nego-Preto era semelhante ao dos outros, a infância nas ruas de terra da periferia, muitos irmãos e más companhias. Na década de 70, o pai esteve preso por nove anos na Detenção, e quando saiu não era o mesmo:

— Devido que ficou transtornado.

A prisão de Nego-Preto ocorreu após uma sucessão de acontecimentos a partir de um assalto a uma joalheria da Barão de Itapetininga, no centro de São Paulo:

— Combinamos de se encontrar os três na esquina do assalto. Nove horas, saí da favela e fui catar um carro com o revólver. O Marlon, meu vizinho de barraco, passou na casa do Escovão.

Quando entraram foi rápido. Os balconistas entregaram tudo o que reluzia e mais o dinheiro do cofre. Os três saíram sem correr, dobraram a esquina, pegaram o carro roubado e fugiram na direção de Santana. De lá, para o Parque Edu Chaves. Largaram o Opala na Fernão Dias e entraram pela favela com o produto do roubo.

No barraco, mal começou a partilha, Nego-Preto teve uma surpresa desagradável:

— Nesse intuito, que eu estou de cabisbaixo, olho de esguelha e, quem diria, ó, o Escovão está com a mão no revólver do cinto! Só que estava meio desesperado, olhando para a direita e para a esquerda, onde que eu se aproveitei deste pequeno descuido e sapequei ele. Questão de sobrevivência, se não sapeco, sapecado seria eu.

Foram três tiros. Escovão não teve tempo para revidar; do jeito que estava, ficou. Imediatamente, Nego-Preto voltou a arma para o peito de Marlon:

— Ele podia estar de piolhagem com o Escovão ou, então, tomar a liberdade de discordar da minha atitude.

Nem uma, nem outra; Marlon permaneceu estático, com os olhos assustados. Então, Nego-Preto quis saber:

— Por que você ficou quietinho enquanto eu dei os tiros nele?

— Porque ele já tinha me ligado, que ia te matar para dividir a parte de você.

A resposta deixou Nego-Preto perplexo:

— Pô, você sabia que o cara ia apertar eu e ficar com todo esses baratos aí, sendo que nós três estamos igual na fita e se um vai para a cadeia os outros dois vão junto! Você podia ter evitado este acontecimento lastimável, ter dialogado com ele para ele não tomar uma atitude feia dessas.

Nego-Preto diz que só escapou com vida por ser homem sistemático:

— Em hora de partilha eu não mosco. É olho por olho e dente por dente, que amigo é amigo, e dinheiro é a maldição do Cão.

Marlon justificou-se dizendo que Escovão vinha de vários homicídios e poderia matá-lo caso fosse denunciado. Nego-Preto não aceitou a justificativa:

— Pô, parceiro, podia ser temido, o que fosse, meu; não matou nós. Se você dá um alô, ninguém ia morrer, porque nós ia debater. Esse negócio de dar tiro nos amigos não é do meu feitio.

Diante da argumentação, Marlon fez uma autocrítica:

— Pô, Nego-Preto, nisso daí eu fui um pouco meio frágil.

— Então deixa passar despercebido; traição por crocodilagem é a coisa mais feia, é um Judas quem age assim, é pessoa que cuspiu na cara de Jesus!

Carregaram o corpo até um riacho e o caso foi mantido em segredo:

— Na favela, as pessoas têm olhos mas não veem, os ouvidos são surdos e ninguém fala.

Alguns dias depois, o corpo apareceu no rio Tietê:

— Bem inchadão, doutor, feio, todo decomposto.

Movido por razões de foro íntimo, Nego-Preto foi ao enterro:

— Devido que nós ter sido criado perto, se eu não fosse ia dar na percepção que eu seria culpado dos acontecimentos.

Com o objetivo de afastar suspeita, passou o velório inteiro do lado do corpo. Encostado no caixão, conta que as lembranças voltavam como num filme:

— Pô, parceiro, você deu mancada, meu. Coisa mais desagradável, querer ficar com tudo! Não devia de ter feito isso! Ainda mais que nós era da mesma infância, empinava pipa e roubava goiaba na casa da velha. Viu no que deu o egoísmo? Acabou sem nada; da terra, só levarás esse terço branco enrolado na mão.

Meses depois, Marlon roubou um sobrado, em Pinheiros. Deu azar, a casa era de um investigador de polícia. Foi preso e pendurado de cabeça para baixo para contar onde estavam os objetos roubados, a esta altura já vendidos:

— Numa boca de fumo na favela da Mimosa, perto da Fernão Dias, para um elemento que atendia pelo vulgo de Bom Cabelo.

Para sair do pau de arara sem entregar Bom Cabelo que pertencia a um grupo fortemente armado, Marlon preferiu dar o nome do autor da morte de Escovão.

Nego-Preto foi parar no DEIC, onde encontrou o amigo delator:

— Marlon, você me deu no assalto também, meu?

— Não, no assalto não, Negão.

O emprego do aumentativo irritou Nego-Preto:

— Negão é papagaio de carvoeiro. Você sabe que eu não gosto que me tratem assim.

Marlon explicou que não disse por mal, e o outro continuou:

— Pô, mano, mas você vai me dar logo no homicídio? Era melhor ter me dado num dos assaltos.

— Eu te dei no homicídio porque os irmãos do Escovão estavam pensando que era eu que tinha matado ele. De fato, nós saímos juntos da casa dele para o assalto. Foi quando que eu apareci de volta e ele retornou finado.

Nego-Preto mais uma vez foi magnânimo:

— Pô, meu, estou desconsolado! Podia te envolver no homicídio, mas não é meu feitio. Já que você me deu, vou confirmar teu depoimento: que matei ele sozinho, joguei no rio e você está limpo.

Na verdade, a benevolência também atendeu a interesses menos altruísticos; se contasse tudo à polícia, iria responder ainda pelo roubo do carro e o assalto à joalheria. Além disso, tirar Marlon do processo poderia trazer vantagens futuras:

— Tenho a cópia de tudo, onde consta que ele me entregou, mas eu não delatei ele. Se um dia ele cruzar o meu caminho na cadeia querendo levar uma, vai ser a minha vez de falar: você é que vai levar uma, porque está em dívida comigo!

Mesmo assim, Nego-Preto diz que não costuma vingar-se dessa forma, por causa de seus princípios:

— Eu não uso dessas artimanhas, para não denegrir a imagem do sentenciado, onde que vou ver ele ser espancado, ser tomado, roubado e escurrado. Este não é o meu ser. O meu feitio é ter olho e não enxergar, ter boca e calar.

O juiz não acreditou na história de que ele matou o comparsa em legítima defesa. Condenou-o também por ocultação de cadáver e, como agravante, julgou frieza criminosa sua atitude de comparecer ao enterro e postar-se pensativo diante do caixão. Pegou dezenove anos e seis meses.

Uma tarde, quando cruzei o pátio do pavilhão, ele conversava sério com um rapaz novinho, de pele mais clara do que a dele. Era o filho mais velho, que acabava de chegar à Detenção, condenado a três anos e dois meses por assalto a mão armada.

OLHO POR OLHO

Charuto entrou com o dedo enterrado numa cebola cozida. A mão esquerda amparava a outra; nesta, os dedos estavam dobrados, com exceção do indicador, esticado, a metade distal introduzida num túnel aberto na cebola quente, de sair fumaça.

Sentou-se à minha frente, com cara de dor, e desembainhou o dedo ofendido. Estava bem inchado; na última falange, logo abaixo da linha de inserção da unha, havia dois cortes profundos, transversais, simétricos em relação à linha média, no meio de um hematoma pulsátil.

— Mordida de rato?
— É, doutor, atingiu o osso.

Ratos de várias raças infestavam o presídio. No escuro, circulavam nas galerias, corredores e interior das celas. Na Cozinha Geral, após a distribuição da janta, mal os faxinas acabavam de enxugar o chão esburacado, o exército murino invadia o território e saqueava a despensa. Ao clarear o dia, inimigos da luz, escondiam-se nos esgotos até cair outra noite, inexpugnáveis.

— Foi meia hora atrás.
— Mordida de rato de dia?

— Estava trabalhando, ó, doutor, desentupindo aquele esgoto que entope no pavilhão Dois, quando aconteceu o acidente.

Charuto tirou a tampa de ferro que cobre a abertura do esgoto que sempre entope, em frente à fachada do Dois. O buraco estava até a boca de tranqueira e comida velha boiando. Desceu naquela água imunda, até os joelhos, e começou a tirá-la com um balde. Quando a manilha grossa apareceu, Charuto enfiou a mão pela lateral, para retirar um saco plástico que atrapalhava o desentupimento. Nesse momento sentiu uma dor lancinante, assim descrita:

— Pegou horrível na ponta do dedo, fina, ardida, e espalhou como um choque pelo braço; deu até amargor na boca.

Puxou a mão, no reflexo; veio junto o rato pendurado no dedo indicador, mordendo fixo. Era preto, enorme:

— Pensei até que fosse um cachorrinho desses de madame.

No desespero, a mão desenhou um círculo no ar e bateu o rato contra o cimento, mas a pega estava tão firme que não soltou. Infernizado com a dor que até choque dava, o rato travado no osso, Charuto levantou o braço o mais alto que pode e despencou o animal no chão; com toda força.

— Só aí, com perdão da palavra, foi que o desgraçado largou. Ficou esperneando as patinhas para cima.

— Morreu?

— Que nada, doutor, o bicho é o demônio!

Foi então que Charuto, cego de ódio, agarrou o inimigo com as duas mãos, segurou-lhe a boca para não levar outra mordida e vingou-se:

— Cravei os dentes na mente do infeliz. Mordi duro, até ele parar de debater. Depois escovei os dentes, e já era.

PAIXÃO ARREBATADORA

Esse tal de Charuto tinha sorriso alvo e dentição perfeita, raridade no ambiente. Malandro completo no andar, falar e olhar, assaltante incorrigível, estava condenado a dezesseis anos, nesta segunda passagem pela cadeia.

Dois anos depois do entrevero com o rato, ele convenceu o Zoinho, um ladrão estrábico internado com sarna disseminada, a vender o próprio colchão para comprar crack, depois tapeou o amigo, fumou as pedras sozinho e quando um funcionário da enfermaria descobriu a venda, Charuto armou uma confusão tal que Zoinho não só assumiu a culpa de tudo, como pegou trinta dias de castigo na Isolada.

Duas semanas mais tarde, Charuto apareceu no ambulatório, com ar cerimonioso, acompanhado de um companheiro narigudo, felliniano:

— Doutor, daria para o senhor atender este considerado meu, que está com uma coceira cabulosa?

Tratava-se do incauto comprador do colchão infestado do Zoinho.

Depois disso, passei tempos sem vê-lo. Um dia, Charuto retornou com muita tosse, febre, dispneia e os olhos encovados: tuberculose pulmonar com derrame de líquido pleural à direita do tórax.

Órfão de mãe, Charuto não recebia visitas desde que chegou à cadeia, desta segunda vez, havia quatro anos. Nos primeiros meses, ainda lia jornal e pedia notícias da rua, mas logo concluiu que satisfazer a curiosidade trazia mais sofrimento e alienou-se dos acontecimentos do lado de lá da muralha, como fazem muitos homens sem família condenados a penas longas.

Dos parentes, não sentia saudades, com exceção do filho mais velho:

— O pequenininho eu não quero ver, porque ele está bem com a avó, a mãe da Rosirene. Agora, o grande eu não sei, porque ele vive com a Rosane, minha outra mulher, e ela é fumadora de crack.

Após cumprir dez anos, em sua primeira passagem pela Detenção, Charuto foi posto em liberdade. Ao sair, soube que Rosane, mãe de seu primeiro filho, tinha acabado de ser presa. Um domingo foi visitá-la na penitenciária de Tremembé. Levou o menino para ver a mãe e cinco gramas de cocaína, de presente. No ônibus de volta, com o primogênito no colo, foi abordado por uma senhora de fino trato:

— Escuta aqui, simpatia, eu também sou malandra, sabe, eu sou malandra. Vim visitar minha irmã e vi você dando um barato lá para a sua mulher. É sua mulher, não é? É o seguinte, eu trafico. Não tem condição de você arrumar umas dez gramas para mim? Pode confiar que eu sou do ramo. Sou do ramo, entendeu? Sou malandra!

Charuto sentiu firmeza. Terça-feira, pegou um ônibus até o Jabaquara e, de lá, o Jardim Míriam:

— Levei uma cara de farinha. Eu não conhecia aquela quebrada; o maior jogo duro para achar a casa.

No quarto dessa senhora, dona Joana, Charuto entregou a droga e sentou para conversar com seu Machado, um senhor que morava com ela.

Foi quando a tentação entrou pela porta dos fundos, sorrindo, de vestidinho com alça: Rosirene.

— Nega dos lábios finos, nariz empinado, bunda de escola de samba e eu no esgano, ó, saindo da cadeia, depois de tirar dez anos. Naquela hora, pensei com a minha cabeça, preciso comer essa nega de qualquer jeito! Não sei se isso já aconteceu com o senhor, doutor, amor à primeira vista! Paixão arrebentadora!

Encantado pela mulata, chamou seu Machado para um canto:

— E essa mina aí?

— Essa mina aí, está aí.

— Então, fala para essa nega que é o seguinte: vou levar ela para Santos amanhã.

Voltou na quarta-feira, mas não foi preciso viajar tão longe:

— Já saímos direto para o Flor da Lapa, a maior festa e tal, gastei dinheiro que nem água. Depois, achei que tudo bem, experimentei a fruta, já era. Apenas que ela não foi embora.

Como as condições não lhe permitiam Flor da Lapa toda noite, alugaram uma maloca num cortiço da Dino Bueno, perto da Rodoviária velha, para viver no maior amor:

— Embora que de vez em quando tinha que dar uns murros nela, que a nega era folgada pra caramba.

Uma noite, Charuto foi dormir muito louco e acordou com a gritaria:

— Ô, vê se acorda que a casa está pegando fogo!

Eram os vizinhos do cortiço:

— Uma tremenda fumaceira, saí a milhão de dentro do quarto.

Rosirene tinha jogado tudo que era dele, roupas, chinelo, sapato, em cima da cama do casal e ateado fogo. A vizinhança ameaçava chamar a polícia; e ele sem saber se apagava o fogo ou acalmava os vizinhos. Se a PM chegasse, iria prendê-lo no ato; havia acabado de sair da cadeia. A incendiária, do lado de lá da rua, assistia de camarote, cínica, dando risada.

— Pô, queimou tudo, até a minha calça de baile! O maior custo para convencer os vizinhos deixar quieto, a polícia não ia querer saber.

Quando acabou o fogo, descalço, Charuto saiu para tomar ar. A mulata veio atrás. Na Dino Bueno com o Largo Coração de Jesus ele parou numa fogueira:

— Na maior neurose, querendo pegar ela de quebrada.

Sentou. Ela também, com prudência, do outro lado, em frente. Depois de um tempo, Charuto levantou devagar com um cigarro apagado no canto da boca, pegou um tição do fogo como se fosse acendê-lo e avançou na direção da Rosirene:

— Dei umas trinta tiçozadas nela. Era fagulha para todo lado, parecia que nós estava no inferno de Satanás!

Vingado, refugiou-se num bar na famosa esquina da São João com a Ipiranga e tomou várias para rebater. Mais tarde, quando voltou para casa, encontrou a maloca em silêncio:

— A primeira coisa que eu olho na cama queimada é a nega dormindo, ó! Puta vida, vai embora daqui, já. Não vou. E, nessa de vai embora já, não vou, vai, não vou, ela acabou não fondo, e nós ficamos naquele amor aconchegado.

Viveram dois anos juntos. Esqueceu do filho e da mulher na cadeia de Tremembé, por causa dessa paixão. Amanheciam fumando pedra, escovavam os dentes com a mesma escova, pediam um comercial no bar e comiam no mesmo prato, de tão bem que se davam:

— Eu roubava, ela se virava.

Segundo ele, não adiantava: mesmo quando roubava uma quantia suficiente para passarem alguns dias despreocupados, saía de manhã e, quando voltava à tarde, cadê a Rosirene?

— Estava na Estação da Luz se virando. Sabe, elas viciam e não querem sair dali. Eu não podia fazer nada. Quer dar? É com ela mesmo. A única coisa que eu falava era: só não dá para amigo meu, que eu te quebro o pescoço.

O destino os desuniu quando ele ficou caído de tanto crack e ela voltou para a casa da mãe, com o menino que tinha nascido.

Uma noite, trombaram na Boca do Lixo e Rosirene confessou estar namorando um amigo dele, Mato Grosso, o dono das pedras, e que os dois tinham planos de mudar para Ponta Porã.

— Veja só, dando para amigo meu e ainda os dois fazendo plano!

Hoje, ele reconhece ter perdido a mulher porque não há harmonia que resista ao crack. Mesmo assim, continuava decidido a resolver o caso pela via passional.

— Quando sair da cadeia, vou matar o Mato Grosso. Ela não, porque o errado é ele, que me conhece e sabe que a mulher é minha; não tem nada que cantar ela e levar embora. É eu que ele está tirando, não ela.

A decisão de poupar Rosirene do castigo fatal, no entanto, é fruto recente da ponderação, pois quando chegou na cadeia seu desejo era atraí-la para um lugar ermo, cortar-lhe os pés fora com um machado e justificar:

— Não vou te matar porque nós temos um filho, e não quero que ele me venha falar que eu matei a mãe dele. Mais tarde, ele vai te ver sem pé, vai perguntar por que e você vai dizer: eu dei para outro cara. E, aí, ele vai saber que o pai dele agiu na razão.

Sua intenção era fazer uma malvadeza que Rosirene jamais esquecesse. Afinal, largou Rosane por causa dela. Na época, ele gostava da Rosane; a primeira vez em que esteve preso, pensou que se Rosane o abandonasse, iria enlouquecer. Até ameaçou:

— Se você não me visitar, te furo os olhos.

Ela, sorriu e tranquilizou-o:

— Quem falou que eu sou mulher de abandonar homem meu na cadeia?

Prometeu e cumpriu. Visitou-o, quase dez anos, todo final de semana, com as sacolas e o menino. Até ir presa. Ele é que a traiu, por causa da Rosirene:

— Fui cachorro; abandonei a Rosane presa em Tremembé; ó, maior ingratidão!

O castigo veio a cavalo quando Rosane saiu da cadeia, antes da data prevista.

Uma noite, ele dormia tranquilo num hotelzinho com a Rosirene, certo de que a outra continuava presa, quando Rosane, libertada, foi à Boca do Lixo cobrar a referida ingratidão. Perguntou sobre o paradeiro do ingrato num bar:

— Ele está dormindo com a mulher dele no Copa 70.

— Ah, mulher dele, é? Cachorro!

Entrou no quarto quebrando tudo; de cara jogou a TV no chão e avançou para cima da Rosirene, cujo tamanho era o dobro do seu. Ligeiro, ele vestiu a roupa e sumiu. Ficou num botequim, esperando a poeira baixar. Meia hora depois, apareceu o português do hotel:

— Vai ver o que aquela baixinha aprontou lá. Encheu a cara da tua mulher, espetou um alfinetão na bunda dela que tirou sangue, ainda rasgou e tacou fogo nas roupas da grandona!

Charuto tem febre e sudorese noturna; está magro e com os pulmões afetados. Ri, as recordações parecem deixá-lo feliz. Apesar da eterna gratidão à Rosane, só pensa na Rosirene:

— Doutor, se eu morrer na cadeia, não vou ficar sossegado. Tenho que ver aquela mulher de novo. Depois, vou matar o Mato Grosso, mas a primeira coisa é ver a Rosirene, só mais uma vez. Ela é linda, doutor! Tá louco, a nega me enfeitiçou.

SEM-CHANCE

Sem-Chance diz que não era ladrão nem nada. Mulato, franzino, riso aberto, o caçula da casa, chegou aos dezenove anos sem trabalhar. Os pais, na medida do possível, faziam todas as vontades dele:

— O maior dengo.

Uma ocasião brigou com a família e saiu:

— Só de bronca.

Depois de dois dias, com fome, lá na vila mesmo, parou numa fogueira onde alguns amigos se aqueciam:

— Eles também não eram ladrões, mas estavam com o pensamento de tomar o revólver do vigia da pedreira.

Sem-Chance foi com eles, não por convicção, mas por não ter para onde ir. Só para não ficar ali sozinho, na fogueira.

Entraram todos menos ele, que guardou o lado de fora. Ao perceber o movimento, o vigia entrou em pânico e começou a gritar. Um deles atirou e acertou a cabeça do coitado. Apanharam o radinho, a jaqueta de guarda noturno e o revólver e fugiram.

Esse crime deu um processo de latrocínio que estragou a vida dele. Foi condenado: doze anos e oito meses.

— Só para ver que nós não tinha maldade nenhuma, doutor, nós roubava onde todo mundo conhece nós. Nós é criado ali. É sem chance.

Atrás das grades aprendeu o que faltava, e quando saiu, em 1987:

— Comecei a roubar, bem roubado.

Assaltou firmas, padarias e gente andando na rua. Especializou-se no "gogó", método através do qual dava uma gravata no transeunte, enquanto os parceiros limpavam a vítima. Conta que nunca matou; chegava dizendo isto é um assalto e, se a vítima não acreditasse, dava uma coronhada na cabeça para intimidar. Não roubava mulher desacompanhada, só de medo de chegar na cadeia com fama de estuprador.

— Voltei para a Detenção em agosto de 91, por causa desse barato de gogó e uns cinquenta, cem assaltos, por aí. Peguei mais dezenove anos, que o juiz não quis saber das atenuantes. Foi sem chance.

Dessa pena, já cumpriu cinco anos. Desde que chegou, ninguém lhe traz um maço de cigarros. Sobrevive às custas dos conhecidos. Vende relógios e roupas dos companheiros endividados; o proprietário pede cinco, ele anuncia por sete ou oito. Tudo o que ganha na luta acaba no cachimbo de crack.

— Eu tenho uma coisa de bom no caráter da minha pessoa: só fumo no dinheiro! O senhor nunca vai ouvir que o Sem-Chance comprou um cisco de crack no fiado. Ando pela galeria de cabeça em pé, sem rabo preso com vagabundo nenhum. Aqui dentro, comigo, é no respeito!

Depois que perdeu a mãe, para a família ele não existe mais:

— Para a sociedade, eu não passo de um reles, rejeitado que nem cachorro sarnento. Se aqui na cadeia os manos não tratar eu como considerado, não vou ser nada para ninguém, sou um zero no mundo. Vou perder a identidade própria do ser humano. É sem chance.

Tratei-o de uma tuberculose grave, instalada nos gânglios linfáticos. Tinha ínguas volumosas no pescoço e axilas. Magrinho, quase morreu. Depois de um mês, já sem febre e com apetite, teve alta da enfermaria. Insisti com ele sobre a importância de manter a regularidade do tratamento e que era fundamental dar um tempo com o crack.

No pavilhão, ele fez exatamente o oposto e voltou pior, com a doença disseminada nos pulmões, falta de ar ao mínimo esforço e caquexia. Na recidiva o bacilo veio agressivo e resistente à medicação. Em poucos dias ficou fraco, dispneico, caído na cama o dia inteiro. Ainda assim, sorria quando eu chegava para examiná-lo.

Uma tarde, fui vê-lo antes do ambulatório. A cela estava invadida por uma luz bonita, alaranjada, reflexo do sol na mulher pelada da parede. Em coma, encolhido no catre, pele e osso, ele parecia uma criança. Migalhas de pão espalhavam-se em volta da boca ressecada. Atrás delas, um batalhão de formigas apressadas andava em zigue-zague pelo rosto agônico de Sem-Chance.

SEU VALDOMIRO

Seu Valdomiro é um mulato de rosto vincado e cantos grisalhos na carapinha. Em seu olhar de homem preso, às vezes brilha uma luz que ilumina o rosto inteiro. Os setenta anos e as histórias de cadeia ao lado de bandidos lendários como Meneghetti, Quinzinho, Sete Dedos, Luz Vermelha e Promessinha fizeram de seu Valdo um homem de respeito no presídio.

Na caminhada, cumpriu pena em diversas unidades. Numa delas, após quatro meses de solitária na escuridão total, quebrada só quando abriam o guichê da cela para passar o prato de comida, que ele precisava engolir depressa para se antecipar ao assanhamento das baratas, seu Valdo simulou ter perdido o juízo. Para convencer os carcereiros da insanidade, rasgou uma nota de cinco e comeu os próprios excrementos:

— Tive que fazer essa sujeira para sair daquele lugar. Na solitária daquele tempo, a gente aprendia o limite de um ser humano.

Seu Valdo nasceu numa ladeira de terra do Pari, perto do largo Santo Antônio, neto de uma avó racista que discriminava a mãe dele, de pele negra:

— Meu pai, por ser assim de mente fraca nas influências, se largou e eu fiquei ao léo dará, com a mãe e duas irmãs pequenas.

Naquelas circunstâncias, a mãe juntou os três filhos e voltou para a casa da mãe dela na alameda Glete. A acolhida foi calorosa:

— A minha avó materna, que justamente tinha um puteiro, recebeu nós de braços abertos.

A casa dessa avó, na zona do baixo meretrício de São Paulo, era um predinho de três andares, no qual trabalhavam doze mulheres. No fundo ficava a casa deles, normal.

— Com o dinheiro que a vovó ganhou administrando o puteirinho, compramos um parque de diversões e, nisso, começamos a correr trecho.

Seu Valdo era grandão, já tinha dezesseis anos, tomava conta do estande de tiro ao alvo e vivia amigado com a Betina, ex-funcionária do predinho da alameda Glete.

Um dia, por traição do destino, o parque pegou fogo e a família voltou para uma pequena chácara da avó previdente, perto da represa de Guarapiranga, na periferia de São Paulo.

Seu Valdo foi trabalhar como desentupidor de fossa, levantou uma casinha e levou vida de trabalhador até que os acontecimentos mudaram o rumo das coisas. A mulher foi a causa de tudo, segundo ele:

— Devido que era muito ciumenta, até dos meus cachorros. Eu adoro cachorro e nem podia tratar deles direito que ela enfezava, dizia que eu punha mais atenção nos bichos do que propriamente na figura dela. Veja que absurdo, doutor, um ser humano rivalizado com um animal.

O gênio da esposa era um suplício. Ciúmes de outras mulheres, então:

— Virgem, Deus o livre!

Se ele cumprimentava uma vizinha, ela xingava de mulher da vida em diante, e cada vez que ele se atrasava, eram quatro horas de falatório, no mínimo. O gênio da esposa criava problema com maridos e irmãos das moças ofendidas. Ele só fazia apaziguar; tarefa inglória:

— Não tem jeito, doutor, mulher quando engata no ciúme é o Cão vestido de saia. De noite, o senhor quer dormir para trabalhar cedo e a peste não para. O senhor bebe uma cachaça depois do serviço, chega em casa disfarçando na hortelã, ela fareja o bafo e pronto! Já acha que estava com outra, que homem tudo não vale nada. E vai o filho de Deus provar que não!

Um dia, mudou-se para a vizinhança uma mulata assim descrita por ele:

— Maravilhosa, doutor, duas pernas torneadas por Deus e um rebolado de parar a feira.

Na rua, quando a mulata vinha de lá, seu Valdo, discretíssimo, abaixava a cabeça. O comedimento tinha justificativa:

— Para não atiçar a jaguatirica em casa.

E também, admite, para não despertar a ira do marido, afamado como baiano ciumento, criador de vários casos por causa da mulata.

Um domingo de sol, seu Valdo no portão de casa estreava o primeiro óculos escuros de sua vida, quando passou a morena requebrante. Distraído, ele nem percebeu que, atrás dele, Betina chegou na janela para bater o pano de pó:

— Para quê, doutor! A onça invocou que eu estava de olho comprido na mulher do baiano. Deu a volta sorrateira, meiga como quem vai me fazer um carinho, e foi básica: zap! Agarrou no meu membro. Veja só o desrespeito!

Num instante, Betina avaliou a dureza em questão e concluiu que seu Valdo era um ordinário sem-vergonha e não valia o feijão que ela enchia na marmita dele.

A gritaria atraiu os vizinhos. Seu Valdo não sabia onde esconder a cara. Por fim, convencido da impossibilidade de acalmar a esposa, mandou-se para o botequim, morto de vergonha dos conhecidos.

— A estrupício ainda veio atrás até a esquina falando um monte, tudo na voz esganiçada.

No bar ele encontrou o Joca, que lhe pagou um rabo de galo para acalmar e o convidou para uma partida de sinuca. Experiente no taco e com as mulheres, Joca aconselhava o companheiro quando chegou o baiano. Não tinha achado bonito o papel de seu Valdo:

— O que você aprontou com a Cida?

— Nunca nem olhei para a sua esposa, cidadão. Até peço desculpas à sua pessoa, mas o acontecido não é motivo para ofensa. Minha mulher é ciumenta possessa e sempre dá vexame. A vila inteira reconhece o feitio dela.

— Tua própria senhora disse na frente de todo mundo que você não tira os olhos da Cida quando passa. Vou te ensinar a respeitar a mulher do próximo, seu preto vagabundo!

O baiano puxou a peixeira. Joca, amigo de verdade, não gostou da ofensa e sacou o revólver:

— Ele é preto sim. E por acaso você é muito branco? Agora: vagabundo não, que ele tem carteira assinada. Se der um passo à frente, quem morre é você, baiano!

O baiano vinha cego de ciúmes ou era valente de fato. Mesmo baleado ainda tentou esfaquear seu Valdo. Só não conseguiu porque este lhe deu uma pancada na fronte, com a parte grossa do taco de bilhar.

O baiano morreu no hospital. Joca, que andava procuradíssimo pela polícia, fugiu para o Nordeste. E seu Valdo:

— Trouxa, dois dias depois se apresentei na delegacia, pobre, sem advogado, alegando legítima defesa.

Dia de visita, um mês mais tarde na Casa de Detenção, anunciaram o nome de seu Valdo para receber uma pessoa na entrada do pavilhão. Morto de ódio, diz ele, no caminho até a porta decidiu esganar a Betina, aquela mulher possessiva responsável pela desgraça que o atingira.

No portão, entretanto, não era Betina quem o aguardava:

— Era a morena, a pivô da tragédia, de vestido vermelho, olhos trêmulos e lábios rútilos. Me abriu um sorriso tão alvo, doutor, que encantou meu coração. E nesse dia abençoado começou o nosso amor, que pela vontade de Deus resiste até hoje.

O FILHO PRÓDIGO

À noite Valente não saía sozinho pela vila: tinha medo de ladrão. Filho de lavradores crentes do norte do Paraná, veio para São Paulo morar com um primo na periferia de Guarulhos. Foi bem até conhecer as pessoas erradas, cheirar cocaína, perder o emprego e se desentender com o primo. Em seis meses começou a assaltar padaria, açougue, pagamento de firma e a matar gente:

— Tem pessoas que a gente conversa com ele, assim, ou vai fazer um trabalho junto, mas a gente não gosta dele. Um espírito com o outro não bate. Para quem está na vida do crime, matar ele é que nem beber um copo de água.

Um de seus amigos, Salviano, vivia com uma mulher que havia namorado um PM. Uma noite, por ciúmes, Salviano convidou Valente para matar o policial. Ele diz que aceitou o convite porque estava mesmo sem fazer nada:

— Esperamos no ponto do ônibus. Era para ele chegar às dez, apareceu às onze e meia. Demos oito tiros nele e saímos fora.

Outra vez ele levava a namorada para casa, quando passou um rapaz e disse um palavrão. Valente deixou a moça e foi atrás do outro:

— Quando alcancei, falei pra ele: ô, boca-suja!

Foram cinco tiros. Valente era homem de poucas palavras:

— Muitas pessoas do Crime até debate com a vítima; comigo não tinha conversa.

Em seguida, perderam a vida dois comerciantes do Alto da Penha que tentaram reagir ao assalto, um ladrão que falou mal dele para uma vizinha e um outro no botequim por causa de uma cerveja derramada.

A sétima ocorreu na divisão de 30 mil dólares roubados em companhia de dois parceiros. Estavam repartindo o dinheiro quando um deles teve a má ideia de ir ao banheiro:

— Fiquei esperto, porque olho de ladrão cresce mais do que devia.

Quando o comparsa saiu do banheiro, trazia a jaqueta de couro no braço, cobrindo parcialmente a mão direita. Valente não hesitou:

— Catei o revólver da mesa e dei três tiros nele. Desperdício, o primeiro acertou bem no meio das vistas.

O outro companheiro se assustou:

— Você está louco, matou o cara!

— Ele ia atirar em mim.

Foram até o corpo, levantaram a jaqueta e verificaram que o morto não tinha nada nas mãos, o revólver permanecia na cinta. Paciência, o amigo consolou:

— Morreu por culpa dele próprio: a mesa cheia de dinheiro e ele aparece assim, por detrás, ainda com a mão encoberta! Infelizmente, ele vacilou.

Três anos nessa vida e Valente resolveu organizar uma quadrilha para assaltar banco. Viajou para o Rio e comprou uma metralhadora na Rocinha. Não chegou a utilizá-la, porque dois de seus parceiros foram mortos num assalto e outro foi embora para o interior. Sobraram ele e Salviano, coautor do assassinato do PM.

Salviano, nessa época, apaixonou-se por uma menina de dezesseis anos e abandonou a ex-namorada do PM. Com o amor-próprio ferido, a moça foi ao DEIC e denunciou os dois comparsas.

A polícia chegou enquanto ele dormia. Ainda quis alcançar a arma, mas não deu tempo. Nunca imaginou ser preso com tanta facilidade:

— Sofri dez dias no pau de arara, meia hora por dia. Teve dia que me penduraram duas vezes. Eles queriam bastante coisa, até o que eu não devia. Por causa da metralhadora, só de assalto a banco, que eu nem cheguei cometer, eles queriam que eu assinasse oito. Confessei só o que eu devia, menos quatro homicídios que ficaram de fora.

De início foi condenado a dezoito anos. Oito meses depois, no júri seguinte, pegou 112 de uma só vez. A pena total ficou em 130 anos e nove meses.

— Eu abati um pouco. Mas não mudei de vida, até piorei para pior. Fui para o pavilhão Nove. Lá eu queria apresentar que era bandido perigoso. Chegava no cara e dizia: você é de ver? Se é, nós vamos trocar agora! Aí, se ele não queria trocar, eu falava: então você deixa a televisão, as coisas suas e pode atravessar para o Cinco, que é o teu lugar. Eu pensava que a minha vida não tinha mais jeito, já que era para morrer na cadeia, não custava que fosse hoje. Se tinha que ser esse o meu destino, que sêsse.

Então, veio um dia de chuva. Para se abrigar, ele encostou na parede junto à igreja, no térreo do Nove e, sem querer, ouviu a pregação do pastor:

— A Bíblia diz em Isaías capítulo 9, verso 6, que Jesus Cristo é o Conselheiro, é o Deus forte, Pai da Eternidade e Príncipe da Paz. Você que vive na vida errada, Deus tem um plano para você. Venha hoje para Jesus, que amanhã pode ser tarde. Não importa se é bandido, quantos matou, Jesus Cristo faz questão de perdoar você com todos os teus pecados, te tirar das trevas e operar uma obra na sua vida.

Valente chegou um pouco para dentro. Sentiu que o Espírito Santo de Deus falava pela boca do pastor:

— Quem quer aceitar Jesus? Quem quer levanta a mão!

As veias do pescoço do pregador saltaram e os olhos cuspiram fogo. Valente achou que a fisionomia estava desfigurada pelo Espírito Santo de Nosso Senhor. Sentiu um punhal frio penetrar-lhe a carne. Levantou o braço:

— Dobra o joelho, irmão!

Valente obedeceu e caiu no choro:

— Arrependi dos crimes, da rapariagem e das maldades. Chorei feito nenê no colo da mãe.

Quando levantou, estava desanuviado. Sentiu o perdão do Senhor pousar em sua fronte.

Continuou morando no Nove, mas os companheiros estranharam a mudança:

— Tinha uns, mais no espírito entrevado, que ameaçavam: está bom, agora é crente, então vai morrer e tal, que nós não suporta bandidão arrependido.

Andava pelas galerias do Nove com o Velho Testamento, sem maldade no coração, lutando para colocar os companheiros no caminho da Verdade:

— De repente, bateu um desassossego na minha mente que era para eu ir embora do Nove. Que tinha que ser logo. Que ali não era mais o meu lugar.

Pediu guarida para os irmãos da Assembleia de Deus, no Cinco, e juntou-se a eles, no quinto andar. Era outro homem:

— Já não usava mais gíria nem palavra torta e não tinha mais perversidade na alma. Estava num plano de Deus, era Jesus abreviando na minha vida, elegendo eu para continuar vivo no seu Reino, porque dois dias depois que eu saí, a PM invadiu o Nove, com cachorro e metralhadora.

APRENDIZ DE FEITICEIRO

Dois dias depois que o desassossego tirou Valente do pavilhão Nove, reuni os travestis nos fundos do cinema para uma aula de prevenção à AIDS. Era a primeira sexta-feira de outubro de 1992.

No final, insisti no perigo da penetração sexual desprotegida e perguntei se havia alguma dúvida. A meu lado, um rapaz franzino de Sapopemba, conhecido como Pérola Byington, pernas cruzadas feito mulher e com a mão desmunhecada, roendo as unhas o tempo todo, fez o seguinte comentário:

— Doutor, faz meia hora que o senhor está explicando como é que pega e não pega esse vírus. Desculpa, mas isso nós estamos cansadas de saber. Muitas amigas nossas já morreram. Nós precisamos de camisinha, não aula! Se não tem camisinha para a gente obrigar o ladrão a usar, de que adianta essa conversa, doutor?

Pouco depois apareceu o dr. Pedrosa, diretor-geral do presídio que, na época, andava sozinho pela cadeia inteira, prática que posteriormente cairia em desuso:

— Tudo bem, doutor? Na saída, passa na minha sala para tomar um café.

Nesse café, conversamos sobre distribuição de preservativos aos detentos, medida que naqueles dias despertava reações emocionais entre as autoridades judiciárias, como a de um promotor de terno cinza e sapato azul-marinho que me respondeu num debate:

— Se a sociedade não pode entregar um litro de leite para as crianças da favela, o senhor nunca me convencerá a distribuir camisinha para vagabundo na cadeia.

O diretor e eu elaboramos uma estratégia para apresentar o problema pessoalmente a algumas pessoas influentes do Sistema. Depois, ele me mostrou uma "teresa" apreendida. Era uma corda de doze metros, feita com tiras de cobertor cuidadosamente enroladas ao longo de fios de arame, o que lhe conferia resistência para suportar o peso de um homem disposto a escalar a muralha. A teresa puxou outras histórias de fuga e, quando percebi, já era meio-dia e meia:

— Vou correr para o hospital, é tarde. Além disso, atrasei o senhor.

— Por mim não, hoje é sexta-feira, dia deles lavarem tudo para a visita do fim de semana. A cadeia está na maior calmaria.

Cerca de duas horas depois dessa observação, houve um desentendimento entre dois presos no Pavilhão Nove.

O LEVANTE

Naquela tarde, no campo do Nove, enfrentavam-se o Furacão 2000 e o Burgo Paulista na disputa do campeonato interno do pavilhão. Nos andares, os presos arrumavam os xadrezes. Tudo calmo, como imaginava o diretor.

No decorrer do jogo, inesperadamente, como ocorrem os acontecimentos mais graves nas cadeias, o Barba brigou com o Coelho na rua Dez do segundo andar do pavilhão, um armado de faca, o outro com um pedaço de pau. Briga de rotina, não fossem as terríveis consequências.

A razão da desavença não foi esclarecida devidamente, de acordo com o Baiano Comedor, um traficante de cocaína sócio de uma pizzaria no Ipiranga, que se gabava de haver namorado as mulheres mais bonitas do bairro, testemunha ocular dos fatos:

— Uns dizem que foi por causa de uma dívida de cinco maços de cigarro. Tem quem acha que foi uma maconha que gerou os desentendimentos, mas alguns que estavam perto até falam que foi discussão de futebol. Tantas teses defendidas que, como diz o outro, jamais será encontrada a moradia da verdade.

Como Coelho e Barba pertenciam a duas facções rivais das zonas norte e sul, respectivamente, que havia tempos se estranhavam na rotina do pavilhão, no momento da briga os companheiros alinharam-se em torno dos dois antagonistas e trocaram ameaças de morte. Na confusão que se estabeleceu, o pessoal do campo subiu para o segundo andar e o confronto adquiriu proporções mais sérias.

Seu Jeremias diz que nessas horas de tensão o desfecho depende de um equilíbrio delicado:

— Em briga de cadeia, doutor, se a coisa passa de um certo ponto, desanda, e aí só para depois que morrer uma meia dúzia de uns três ou quatro.

Para conter os ânimos, os funcionários recolheram os presos do campo, medida preventiva que facilita trancá-los para evitar o pior, se necessário. Mas não havia mais condições de obrigar a malandragem exaltada a entrar nas celas. O conflito era irreversível.

A tensão cresceu tão depressa que Majestade, um dos ladrões mais respeitados, presidente de Esportes do pavilhão, um dos últimos a deixar o campo, ao chegar com as bolas e a rede nem tentou dialogar com os mais novos, como habitualmente fazia nesses momentos:

— Parecia feira de peixe, doutor. Quando está assim, é bobagem querer apaziguar. O sangue ferve e fica todo mundo desvairado. Subi, na minha, mas em vista das facas que estão passando na escada, bateu no meu presságio de que aquilo não vai acabar legal.

Quando começou o corre-corre e os gritos de vai morrer, mesmo quem nada tinha a ver com os acontecimentos acautelou-se. Zelito, um negro alto e forte que mais tarde conheci na enfermaria cego dos dois olhos pelo gás lacrimogêneo, tirou a faca do esconderijo:

— Eu não tinha nada com aquela zica, mas nunca vi um passa-passa de bicuda e pau como aquele. Vou desentocar a minha também, pensei comigo. No meio daquela bagunça podia sobrar para minha pessoa, perfeitamente.

Majestade, que havia escapado vivo da rebelião de 1985, convenceu o companheiro de xadrez a se recolher:

— Vamos ficar na nossa, até morrer quem tiver que morrer.

A correria e os gritos disseminaram o tumulto pelos andares. Cadeia é como panela de pressão: quando explode, impossível conter.

Adelmiro, um filho de portugueses atarracado, cujo tio tinha um desmanche na Água Rasa em sociedade com um delegado, ao cruzar com um funcionário que contra o regulamento trazia as cartas endereçadas a ele sem passar pela censura administrativa, murmurou discreto, para não ser acusado de traidor pelos companheiros:

— Desce que está embaçado, chefão.

O carcereiro entendeu o recado e desceu rápido para o pátio interno, onde estavam cerca de dez colegas, impotentes diante das dimensões do tumulto. Atrás dele veio um bando de detentos com capuzes do tipo ninja e começou a depredar a Carceragem na esperança de destruir os próprios prontuários criminais.

Os funcionários de plantão contam que nessa hora ocorreu a primeira baixa no grupo da zona norte e que a esta se seguiram outras de ambos os lados, em retaliação. Mais tarde, a PM afirmou ter encontrado mortos ao invadir o pavilhão. Na versão dos presos, ninguém morreu no acerto de contas.

Outra divergência envolve a saída dos funcionários do pavilhão amotinado. Há quem diga que a pequena equipe de plantão, para não correr o risco de cair refém, abandonou o pavilhão e trancou a porta de fora. Os carcereiros envolvidos afirmam que a PM, alertada pelos guardas da muralha, já estava no presídio e deu ordem para que eles saíssem.

De qualquer modo, com a ausência dos guardas, o pavilhão caiu nas mãos dos rebelados. Logo o Nove, onde vai parar principalmente a garotada presa pela primeira vez. Gente sem experiência de cadeia, como o Nardão, um ladrãozinho principiante que aderiu porque, por coincidência, tinha tomado um baque de cocaína no xadrez quando começou o alvoroço:

— A cadeia caiu no nosso poder. Digo nosso porque, naquela circunstância, nós está tudo envolvido. Aí protestamos contra a nossa melhoria, que o ambiente já não vinha do melhor, muitos manos querendo transferência, cara com a Colônia assinada, pena vencida, as visitas um pinguinho só, e já era.

É verdade, havia tempos os funcionários alertavam que o ambiente no Nove deixava a desejar, mas fazer o quê? Num pavilhão daqueles, na época com 2 mil homens espremidos feito sardinha, fases mais tensas aconteciam periodicamente. Como adivinhar o momento da explosão?

Excluídos os mais sensatos, que se trancaram nos xadrezes, os outros armaram um berreiro infernal, faca, pau, cano de ferro e quebra-quebra, correndo descontrolados, contagiando a massa com a excitação, feito estouro de boiada.

Naquele momento, Santão, o rapaz sem a orelha direita que montava o equipamento nas palestras no cinema, cumprindo dezoito anos de uma pena que acabaria em fevereiro do ano seguinte, olhou pela janela do xadrez e viu o pelotão de Choque enfileirado na porta de fora do pavilhão, de máscara ninja cobrindo o rosto, escudo, metralhadora e a cachorrada.

Nos andares, agitados como formigas antes do temporal, os detentos queimavam e destruíam o que estivesse ao alcance. Alguns aproveitavam velhas rixas para saquear xadrezes alheios, provocando retaliação por parte dos saqueados.

Mais tarde o irracionalismo da turba teria consequências desastrosas, como observou Ôrra Meu, um faxina de pescoço longo como os de Modigliani e sotaque italianado característico do bairro da Mooca, preso num caminhão de lenha que trazia maconha de Pernambuco para um armazém da Vila Matilde:

— Ôrra, meu, a bem dizer verdade, bagunçamos mesmo, normal. Nessa, que uns imbecil se apossaram de umas latonas de óleo da Faxina e derramaram tudo na escada para a polícia escorregar. Digo imbecil porque são muito burros os caras, meu. Mais tarde a armadilha se voltaria contra nós próprios.

Enquanto isso, oficiais da Polícia Militar, acompanhados de autoridades judiciárias, assumiam o comando da cadeia. O diretor ainda tentou convencê-los a deixá-lo dialogar com os prisioneiros. De fato, chegou até a porta que dá acesso ao pátio externo do Nove, mas, antes que pudesse entrar, a PM em formação militar atrás dele disparou portão adentro. Só podem contar o que se passou daí em diante, como diz o dr. Pedrosa:

— A PM, os presos e Deus.

Ouvi apenas os presos. Segundo eles, tudo aconteceu como está relatado a seguir.

O ATAQUE

Recolhido em seu xadrez, Majestade, corintiano fanático desde criança, como o tio que o levava para assistir aos treinos no Parque São Jorge, escutou a PM anunciar do térreo:

— Entra todo mundo no xadrez que nós vamos invadir.

Segundo os relatos, os presos obedeceram, pois, como dizem, é tradição na cadeia:

— A gente pode ser tudo ignorante, ladrão, malandro, mas burro não. Ninguém gosta de morrer. Quando a PM invade, todo mundo corre para o xadrez, que os homens vêm de coturno, cachorro e calçado nas armas. Não tem condição de encarar eles na galeria com faca e pedaço de pau.

No terceiro andar, ao ouvir o aviso para sair da galeria, Dadá, um ladrão de Carapicuíba que sobreviveu a seis tiros de um justiceiro contratado pelos comerciantes do bairro, único desencaminhado numa família de crentes praticantes e que na véspera havia recebido uma carta da mãe pedindo-lhe que não deixasse de ler na Bíblia o Salmo 91, teve uma impressão falsa:

— Estava meio sinistro. Vinha uma pá de polícia de máscara, só com os olhos de fora, metralhadora, latido de cachorro e um helicóptero abaixando bem baixinho, com um cano para fora. Já entraram no andar de baixo atirando, mas eu, idiota, achei que era bala de festim.

Dadá correu para sua cela, onde encontrou mais treze pessoas tentando se esconder dos invasores, como ele. Achou um canto atrás de um pequeno muro junto à pia e se agachou.

Não esperou muito nessa posição incômoda. O Choque chegou depressa no terceiro andar. Pelos gritos, então, percebeu que as balas não eram inofensivas como havia imaginado:

— Vocês não me chamaram? Não pediram a morte? E é só barulho de rajada. Os infelizes que moscaram para se esconder foram os primeiros a cair. Era tiro seco e grito de pelo amor de Deus! Nós quietinhos no xadrez, eu feito avestruz, sem coragem para levantar a cabeça de trás da pilastrinha da pia.

A morte correu pela galeria e chegou na porta de sua cela:

— Um polícia abriu o guichezinho da porta, enfiou a metralhadora e gritou: Surpresa, chegou o diabo para carregar vocês para o inferno! Deu duas rajadas para lá e para cá. Encheu o barraco de fumaça, maior cheirão de pólvora. Só fui perceber que estava vivo quando senti um quente pingando nas costas. Era sangue, na hora até pensei que fosse meu. Olhei para os parceiros, tudo esfumaçado, furado de bala, pondo sangue pela boca. Morreram onze, escapei só eu, com um tiro de raspão no pescoço, e um companheiro da Cohab de Itaquera, ó, ileso, maior sorte.

No segundo andar, Jacó, um dos faxineiros do Nove, baixinho de fala ágil, traficante de cocaína que se orgulhava de fazer negócios por telefone, sem sequer tocar na droga, escapou por pouco:

— Foi o maior pânico, todo mundo correu para o xadrez. Eles vinham intencionados de matar a Faxina inteira. Assim que apareceram no segundo andar, um PM gritou: Vamos dar fim nesses faxineiros filhos da puta!

Por não conhecer a cadeia, entretanto, os soldados pegaram a galeria no sentido oposto ao das celas dos faxineiros. Sorte de

Jacó e azar do carteiro, que foi o primeiro a morrer; justamente ele, sobrevivente daquele caso em que os carcereiros de um distrito da capital trancaram mais de cinquenta homens numa cela apertada, matando dezoito por asfixia. Depois do carteiro, vieram os outros da mesma ala.

Em seu xadrez, Majestade, vendo confirmada a premonição, sentou-se num banquinho com os cotovelos apoiados nos joelhos e a cabeça grisalha entre as mãos, o olhar na direção dos pés. O companheiro, apavorado, tremia no canto da cama. Quando a porta da cela foi aberta, Majestade permaneceu estático, de cabeça baixa. Pelo canto dos olhos viu apenas o coturno do policial e esperou o tiro de misericórdia na nuca:

— Depois de uma eternidade, ele perguntou se a gente estava na bagunça. Expliquei que eu não era criança, sem levantar os olhos do chão, que nós só mexia com esporte, que ele podia ver as bolas espalhadas no xadrez. O PM ficou quieto, eu esperando o tiro. Aí o coturno deu meia-volta na direção da galeria e eu ouvi o companheiro caindo no choro descontrolado. Continuei feito estátua.

Os vizinhos de cela de Majestade não tiveram a mesma sorte. Entre eles, o centroavante do Furacão 2000, que momentos antes da rebelião estava radiante com os cinco gols marcados contra Marcão, goleiro do Burgo Paulista (que também encontrou a morte), e com a perspectiva da liberdade na terça-feira seguinte.

No quinto andar, num xadrez com nove pessoas, morreram sete, inclusive dois irmãos cariocas, presos uma semana antes após assaltar um motorista na Castelo Branco, para voltar ao Rio e assistir ao casamento de uma prima:

— Morreu um sentado na cama e o outro no apavoro.

Nesse xadrez, Salário Mínimo, um ladrão condenado pelo latrocínio de dois policiais em Itapevi, conseguiu sobreviver graças à baixa estatura. No meio do tiroteio, encolheu-se num canto e puxou para cima do seu o corpo enorme de Rambo, o primeiro a cair morto na cela.

Passava das três da tarde quando a PM invadiu o pavilhão Nove. O ataque foi desfechado com precisão militar: rápido e letal. A violência da ação não deu chance para defesa. Embora tenha sobrado para todos, as baixas mais pesadas ocorreram no terceiro e no quinto andar.

Cerca de trinta minutos depois de ordenada a invasão, nas galerias cheias de fumaça ouviram-se gritos de "Para, pelo amor de Deus! Não é para matar! Já chega, acabou! Acabou!".

Uma depois da outra, as metralhadoras silenciaram.

O RESCALDO

Quando os tiros calaram, caiu um silêncio de morte na galeria.

Atrás do murinho, Dadá só pensava no desgosto da mãe com a morte dele e no arrependimento por não ter lido o Salmo 91. Minutos depois, escutou passos de coturno:

— Quem está vivo, levanta, tira a roupa e sai pelado!

Ergueram-se o Itaquera e ele:

— Ainda tentei reavivar um companheiro que eu conhecia da rua, mas ele já estava de olho virado. Saí para a galeria. Maior esgano, ó, um corredor polonês de PM: corre, corre! Levei paulada nas costas e pontapé nas pernas.

Quando chegou na gaiola, antes da escada, um policial soltou um pastor preto que pulou no pescoço do ladrão ferido. Dadá deu uma finta no animal e escapou para a escada, mas levou um chute que veio não sabe de onde, desequilibrou-se nos degraus lambuzados de óleo, caiu e bateu a cabeça. O pastor veio em cima:

— O tombo causou um branco na mente. Foi até bom, porque na hora nem senti as mordidas do cachorro nas pernas e no testículo.

Acordou com o cassetete do PM:

— Levanta, vagabundo, mão na cabeça!

Como Dadá, os demais sobreviventes tiraram a roupa e correram no meio da pancadaria, escada abaixo, escorregando no óleo e no sangue derramado, com os cachorros no encalço.

Jacó, o traficante por telefone, diz que não houve espaço para altruísmo:

— Saí do xadrez e o cachorro veio atrás. Quando ia me alcançar, desviei por trás de um companheiro mais gordo, de modo que ele ficou entre a fera e eu. Infelizmente para ele, coitado, que tomou uma mordida no braço, que nem rodando o animal no ar ele largava. Não tive condições de socorrer o rapaz, porque ali era cada um por si e Deus por quem Ele julgava merecedor.

Majestade controlou os nervos, a cabeça entre as mãos, até ouvir a ordem de descer:

— Saí desabalado, para escapar da pancadaria. A pressa foi tão nervosa que, ó, esqueci de tirar a roupa.

Desceu as escadas de bermuda e a inseparável camisa do Corinthians. Quando chegou no pátio interno, havia um PM com a metralhadora apontada para os que desciam. Entre as pernas do policial jazia um homem morto, com sangue escorrendo pela boca. Era o Santão, que nos ajudava no cinema.

Apesar do tempo de cadeia, Majestade tomou um choque ao ver o corpo do amigo:

— Quando vi o Santão ali, feito troféu no meio das pernas do PM com a metranca, meu raciocínio paralisou.

Ao vê-lo de roupa, o policial soltou a trava da arma:

— Ô, corintiano mosca de boi, está vestido por quê?

Ao ouvir o som do destrave, Majestade e todos os que estavam perto jogaram-se no chão, um por cima dos outros. Ele diz que nunca tirou a roupa mais depressa:

— Mergulhei de peito no chão e já levantei pelado.

Os policiais dispuseram a massa em fila no pátio interno do pavilhão e ordenaram que todos sentassem com os braços cruzados sob as coxas e a cabeça entre os joelhos. Quem levantasse o olhar para ver o que se passava, tomava cacetada e mordida dos pastores alemães.

Ficaram horas sentados no pátio, pelados, em silêncio, com a PM e os cachorros excitados em volta.

Quietinho, preocupado apenas em preservar a vida, Chico Heliópolis, ladrão da favela de mesmo nome, perdeu a corrente de ouro e a santa protetora que ganhou da madrinha na primeira comunhão:

— O PM abaixou do meu lado: vê se é bom fazer isso com os outros, seu vagabundo, e arrancou a correntinha do meu pescoço. Justamente eu que só roubei firma, banco e mansão e nunca me sujei por coisa miúda.

Lá pelas dez da noite a PM tomou posição na escada e nas galerias e começou a recolher os presos. Subiram os cinquenta ou sessenta da primeira fila. Minutos depois, mais tiros, gritos e latidos.

No pátio, com medo das balas, os homens procuravam se arrastar, discretamente, para as filas de trás.

Gaguinho, um apontador de jogo do bicho e vendedor de maconha que trabalhava na copa dos funcionários, descreveu assim o caminho de volta:

— Na subida da escada, tem uma coisa interessante: estava lavado de sangue, um monte de cadáver espalhado. Não podia parar a fila, os polícias mandavam correr e ameaçavam: se alguém me espirrar sangue, vai morrer! Tinha que correr descalço naquela sangueira, sem levantar os pés para não sujar os elementos, que eles queriam achar pretexto pra matar.

A aversão dos policiais pelo sangue derramado custou a vida de vários desastrados, como explicou Isaías, um ladrão que perdeu o movimento do braço esquerdo por overdose de crack e anos depois morreu de tuberculose na enfermaria:

— Tudo alucinante, na velocidade, e ainda mandava nós gritar: Viva o Choque! Viva o Choque! Um tiozinho que vinha, em vez de pisar num finado estendido na passagem, desviou para o lado do polícia encostado na parede, só que pisou na poça de sangue e espirrou na calça do cidadão. O polícia não teve dúvida: parou a escada na hora e pou, pou, dois tiros, na frente de todo mundo.

Atirou, puxou o corpo de lado e gritou para um preso de óculos que vinha em seguida na fila:

— Você aí, carrega esse cadáver lá para baixo! Nesse momento, a mente do finado deve ter entrado em pane, porque ele caiu no choro e disse que não tinha coragem. Ah! Você não vai, é? Deu um tiro seco, que só não foi à queima-roupa porque o rapaz estava pelado, como todos nós. Numa fração de segundo, já virou para a fila: Não para! não para!

Os homens foram distribuídos ao acaso nos xadrezes. Em cada um, colocavam o máximo possível, trancavam e lotavam o seguinte, até prenderem todos.

Os corpos tiveram que ser carregados para o térreo pelos próprios presos. Jacó, o baixinho que traficava por telefone, foi um dos carregadores.

— Chegaram para mim e mais quatro: Vocês aí, podem catar os cadáveres da galeria do segundo andar e levar pra Escola, lá embaixo! A gente pegava nas pernas e nos braços e descia. Tudo depressa, com os polícias apavorando.

A essa altura, embora os acontecimentos já lhe tivessem anestesiado o medo da morte, Jacó se preocupou por estar descalço, com os pés esfolados do futebol:

— Tanto HIV na cadeia, se escapar vivo vou acabar pegando AIDS. Foi quando um PM mandou a gente empilhar direito os corpos, na Escola, que estava a maior bagunça de braço e perna, as cabeças cada uma para um lado. Nisso que ele está falando, alguém se mexeu na pilha. Ele foi dar uma coronhada de metralhadora no cara e se distraiu, aonde que eu me aproveitei e deitei num cantinho, no meio dos falecidos.

Ficou imóvel na brecha entre os corpos, com a respiração quase presa, até que os quatro entraram com o último cadáver. O PM se dirigiu a eles:

— Terminou? Eles responderam que sim. Rá, rá, rá, rajou os quatro. Caíram duro por cima dos próprios companheiros que a gente tinha carregado.

Enquanto o medo da AIDS salvava a vida de Jacó, um oficial da PM dava ordem para Dadá descer os corpos do terceiro andar:

— Só na gaiola do terceiro tinha uns trinta cadáveres amontoados. A pilha tinha quase dois metros de altura. Descemos eles para o carro do IML estacionado na entrada. Já estavam até rijos, com uns arrombos no peito.

Quando Dadá e os companheiros acabaram, o tenente mandou chamá-lo:

— Vem cá, vagabundo, você está em latrocínio de polícia, não é?

— Eu, não senhor, vim preso de laranja.

— Você matou polícia, sim, não me engana!

— Nunca matei ninguém, senhor, minha pena é pouquinha, três anos só. Caí de laranja.

— Então, antes que eu me arrependa, sobe com essa fila aí. Sai da minha presença, que você vai pegar o maior boi porque tem a cara do meu filho mais velho!

Mais tarde o ladrão de Carapicuíba deu graças a Deus pela semelhança física com o primogênito do militar:

— Eu tirei a noção de que o filho dele me salvou a vida, depois de ver que os demais carregadores sumiram para sempre.

Com os presos trancados, os carros da polícia e do IML transportaram os mortos até tarde da noite. Nas celas o ambiente era trágico, diz Dadá:

— Não conseguimos dormir dentro do barraco. Uma, porque nós ficamos perturbadíssimos, e, outra, que o cheiro de carniça era forte; o chão estava de sangue até o rodapé. Só no dia seguinte é que limpamos tudo, e eu arranjei uma Bíblia.

No livro sagrado, Dadá finalmente leu o Salmo 91 recomendado pela mãe na véspera, e diz que chorou feito criança com o trecho:

— Mil cairão a teu lado e dez mil à tua direita, mas tu não serás atingido; nada chegará a tua tenda.

No dia 2 de outubro de 1992, morreram 111 homens no pavilhão Nove, segundo a versão oficial. Os presos afirmam que foram mais de duzentos e cinquenta, contados os que saíram feridos e nunca retornaram. Nos números oficiais não há referência a feridos. Não houve mortes entre os policiais militares.

DRAUZIO VARELLA nasceu em São Paulo, em 1943. Formado em medicina pela Universidade de São Paulo, trabalhou durante vinte anos no Hospital do Câncer. Foi médico voluntário na Casa de Detenção de São Paulo (Carandiru) por treze anos. *Estação Carandiru* foi publicado em 1999, e ganhou dois prêmios Jabuti — Não-Ficção e Livro do Ano. Drauzio é autor também de *Macacos* (Publifolha, 2000), *Por um fio* (Companhia das Letras, 2004), *Borboletas da alma* (Companhia das Letras, 2006), *O médico doente* (Companhia das Letras, 2007), *A teoria das janelas quebradas* (Companhia das Letras, 2010), *Primeiros socorros* (Companhia das Letras, 2011), *Carcereiros* (Companhia das letras, 2012) e de dois infantis, que lançou pela Companhia das Letrinhas: *Nas ruas do Brás* (2000; Prêmio Novos Horizontes, da Bienal de Bolonha, e Revelação Infantil, da Bienal do Rio de Janeiro) e *De braços para o alto* (2002).

1ª edição Companhia das Letras [1999] 26 reimpressões
2ª edição Companhia das Letras [2003] 23 reimpressões
1ª edição Companhia de Bolso [2005] 9 reimpressões

Esta obra foi composta pela Verba Editorial
em Janson Text e impressa pela Gráfica Bartira em ofsete
sobre papel Pólen Natural da Suzano S.A.

A marca FSC® é a garantia de que a madeira utilizada na fabricação do papel deste livro provém de florestas que foram gerenciadas de maneira ambientalmente correta, socialmente justa e economicamente viável, além de outras fontes de origem controlada.